消滅する
日本で
君はどう
生きるか

希望

内海聡
Tokyo DD Clinic 院長

徳間書店

はじめに

本書で最初に記すとすれば、これしかありません。まさか私が、「希望」という書名の本を書くことになろうとは！

私はこれまでに50冊以上の本を書き、SNSなどでもさまざまな情報を発信してきました。初めて私の本を手に取った人にはわかりにくいかもしれませんが、これらの内容は、とても虚無的であり、絶望的であり、悲観的であるイメージだと思います。

私自身にとっても驚きですが、読者にとっても、まさか内海が希望に関する本を書くとは想像していなかったでしょう。

本の企画は、出版社から打診されて始まることがほとんどですが、本書も同じです。編集者の高畑さんが徳間書店へ移り、最初の仕事を私の本にしたかったそうで、企画案を持って来ました。

当初の企画案は「食」に関するものでしたので、私は却下しました。なぜなら、食の本はこれまでにも何冊か書いており、もう読者の興味を引くことはなく、そもそも売れないだろうと考えたわけです。

そこであらためて本の企画について、やり直すことになりました。

そんな相談のなかで、拙著『2025年日本はなくなる』（廣済堂出版刊）の話になりました。その内容は絶望的な内容であり、高畑さんはこの本を読み、これからどう生きていけばいいのかわからなくなったそうです。

あの本では一応、最終章に今後、どうやって生きていけばいいのか、どうやって日本を復活させればいいのかを書いたつもりですが、あれではわかりづらいと言われたのです。

絶望的な状況に日本があるなかで、どうやって生き延びればいいのか、何を考えて生きていけばいいのか、何を希望と掲げていけばいいのか、ということに彼の興味がありました。

私はたくさんの講演を行うなかで、23年頃からこれと似たような質問を多く聞くようになりました。つまりこのテーマは多くの人が興味を持ち、ぶっちゃけ売れるのではないか、と思ったわけです。

確かに25年に日本がなくなると仮定すれば、現実を受け止めるのは当然として、何を道標として行動していくかを考える段階に入っています。

現実を見て鬱状態になったり、ただヘコんだりしているだけではダメなのです。

そうした経緯があり、本書のタイトルが「希望」となったわけです。

私が希望を語るとなれば、必ず入れなければいけないことがあります。詳細は本書の第6章と第7章にありますが、ここで一つだけ書くとすれば、「多くの人は希望について勘違いしている」ということ。

人々が抱いている希望は、実は非常に絶望的であり、その希望では、人生も、日本も、好転しない——これが、本書におけるもう一つのテーマといえるでしょう。

希望というのは概念であり、考え方であり、思想であります。

私は「精神構造分析法」の創始者であり、『心の絶対法則』（ユサブル刊）という本を書いたことがあります。精神療法の世界観と、思想学や哲学の世界は共通です。

先の本には希望的なことはあまり書いていませんが、精神構造分析法をしっかり行えば、絶望や陰極まった状態から、希望や陽極まった状態へ転換することも多いのです。

つまり私が院長を務める世界一のオカルト医学病院であり、世界一嫌われ医者の現場では、絶望の話も、希望の話も、生き方の話も、日常的な話にすぎないのです。

多くの人が個人の医療や健康の話だと思っていたものが、実は日本の医療問題や日本人の健康問題であり、さらに社会システムや政治の話に直結します。

究極的なことをいえば、土壌の汚染がなくて体に悪い作物が作られず、医療が本来求められる姿で実践され、情報が隠蔽されることがなく、政府や財閥がお金を独占することもなく、移民が幅を利かせることもなく、学校や子どもたちが生き生きと生きていける日本であれば、これほどクスリ漬けや病気が蔓延することはないのです。

逆にいえば私たち日本人は、だれかから不幸や病気に誘導されているともいえるでしょう。

こう書くとその「だれ」に、一部の既得権益を持っている人、権力者や支配者的な立場の人、上級国民をイメージする人がいるかもしれません。

これは陰謀論につながり、非常に危険で絶望的な考え方だと思っています。確かに政治家をはじめとする優越的な立場にいる人たちによって、優生学的な思想のもとに、貧民である私たちを虐げる政策は行われています。

しかしそれを選んだのは、実は国民なのです。今の政党、今の政治家、今のシステムを選んだのは、無関心、長いものに巻かれるという精神、しょうがないという言い訳、体裁や常識に縛られている日本国民です。

優生学の世界では、私たち貧民（この場合、年収１００億円以下の層のイメージです）は奴隷なのです。

奴隷である私たちは、どうやったら世の中を変革でき、支配者や優生学者を追い出せるのでしょう。

残念ながらその答えは一つしかありません。その答えは「人数」になります。

お金を無限に持っている支配者たちに、お金や権力では太刀打ちできません。昔でいう一向一揆や革命などのように、多くの人が集うことしか、社会を変える術はありません。

なぜなら支配者は、自分たちが少数であることを一番の問題と認識しているからです。

この「人数」を作るために必要なことを本書で書きました。もちろんそれは一朝一夕で実現できるようなものではありません。もう少し熟成期間が必要となります。

もしあなたが正義や真実に溺れることなく、陰謀論にハマることもなく、他者へのマウントを取ることもなく、この熟成期間を粛々《しゅくしゅく》と生き抜けたのならば、それは希望になると思います。本書を、これからの世界を生き抜くサバイバルのための教科書としてご利用いただければ幸いです。

本書の作成に当たり、担当の髙畑 圭さんだけでなく、執筆協力いただいた永井芙美さん、大隈優子さんの両氏へ感謝の言葉を捧げたいと思います。

またいつも私の無謀に付き合ってもらい、東京都の政治問題で前面に出ることを許容してくれた、妻と娘に感謝の言葉を捧げて、本書の序文に替えさせていただきます。

著者記す

希望

消滅する日本で君はどう生きるか

希望　消滅する日本で君はどう生きるか　目次

第4章 心理学は世界最凶・最悪な学問

第7章 滅びのなかで芽吹く希望

執筆協力　大隈優子
永井芙美
校閲　(株)鷗来堂
装丁　藤田大督
編集　髙畑　圭

第1章

2025年、日本は本当になくなるのか?

世界一人口が減り続ける日本

私は本書で、日本に残された希望の光について語りたいと思います。そのためには、まず現在のこの国の状況がどんなものであり、何をすれば好転するかという材料を探さないといけません。

私は10年近く前から、講演活動や作家活動などを通じて「２０２５年の日本滅亡説」を言い続けてきました。それは予言や超能力で見えたものではありません。もちろん、陰謀論的なものに基づいたものでもなく、日本の現実と法律を見続けてきたことから引き出した答えです。

11年3月に起こった東日本大震災での原発事故以降、悪化を続けてきた日本の衰退は、新型コロナを経て、最終的な滅亡の土壌が完成したといえます。

コロナ問題だけを見ても、喜んでマスクを着け続け、世界で一番多く新型コロナワクチンを打ちまくっていたのが日本人です。

そもそも日本は人口減少率が世界ナンバーワンの国なのです。陰謀論の世界では、コロナウイルスは人為的な世界規模の人口削減を目指したものともささやかれていますが、実際には世界の人口は増え続けています。日本国民は、人口が減ったトップの国という事実にすら気づいてもいません。

日本は長年、出生率の低下による少子化が問題とされてきました。厚生労働省の発表によると、22年の出生新生児数は77万747人で、初めて80万人を割り込み過去最低の数字です。これは厚生労働省の予測を大幅に下回っています。

現在は超過死亡者数（例年から予想される死亡者数より実際に死亡者数が増加したということ）も問題視されています。22年の死亡者数は156万人を超え、過去最低の21年より13万人近く増加、こちらは厚生労働省の予想をはるかに上回っています。

子どもが増えないうえに多くの人が死亡し、日本の人口がこの数年で加速度的に減少しているのです。この状況を見れば、日本にはまだ希望があるなどといったお花畑的な考えは、完全に通用しません。

ここで医療や食、環境において、日本の絶望的なナンバーワンの状況を改めて見てみましょう。

・農薬の残留基準値が世界一
・食品添加物の使用量が世界一
・有病率と病院受診率が世界一
・健康寿命と平均寿命の差が世界一
・奇形や障害の発生率が世界一～二位
・精神病院の病床数が世界一
・薬の備蓄量が世界一
・放射能の被ばくにおいて世界一～二位
・電磁波の蔓延状況が世界一
・新型コロナワクチンの接種回数が世界一

農薬や食品添加物は、私が以前から扱う「社会毒」の問題の一つで、神経毒や発がん性などが危険視されているものです。

世界的にはどちらも使用が厳密に規制される方向で進んでいますが、日本だけはこの風潮に逆らって、15年～17年に農薬や枯葉剤や食品添加物の規制を緩和し、ますます使用される一方です。日本人はスーパーのきれいな野菜を食べていれば安全、と思い込んでいる人も多いのが現状でしょう。

11年の福島第一原子力発電所の事故以来、放射能の問題抜きには日本の現状は語れなくなりました。放射能がさまざまな病気を増やすことは周知の事実ですが、すぐに病気が発症しないことはあまり知られていません。

過去の出来事から考えれば、チェルノブイリの原発事故では5年後から病気が増え、原爆が投下された広島や長崎では、白血病で死亡する人の数が6〜7年後にピークだったとされています。

現在でも放射能は垂れ流し状態ですので、今後の日本ではますます被ばくによる病気が増えていくことが予想されます。白血病やがんだけでなく、心臓病や脳機能障害、血管障害などの死に直結する病気が懸念されます。

また、原発の問題がまったく収束していないにもかかわらず、政府や東京電力、そのほか自分の利益をむさぼりたい輩たちは、目先の経済的な問題を掲げ、「日本に原発は必要」などとウソをつき、原発の再稼働や推進を平然と推し進めています。

また、メディアや政治、権力者の都合のよいように、操作された情報の代表として、新型コロナウイルスにまつわるウソが挙げられるでしょう。

【新型コロナ騒動のウソ一覧】

・感染者数がウソ
・死亡者数がウソ
・PCR検査がウソ
・抗体検査がウソ
・海外の死亡者数がウソ
・マスクで防げるがウソ
・自粛で防げるがウソ
・手洗いで防げるがウソ
・後遺症がウソ
・日本を守る姿勢がウソ

このなかでも最も重要なのが、ＰＣＲ検査のウソから見える「無症状感染」という大ウソです。この際、ＰＣＲ検査とは何かなどもあまり重要ではありません。

明確にしておきたいのは「そもそもウイルス感染とはどういうことか」と、「症状とは何か」という点です。

いわゆるウイルス感染とは、体力や身体の免疫機能が低下している人の体内に、バリアをすり抜けてウイルスが侵入してきた後、さらに免疫細胞が負けることで、身体のなかでウイルスが猛烈なスピードで増殖する状態を指します。体のなかで増殖したウイルスを取り除くために免疫細胞がさらに活動することで、せきや鼻水、発熱といった「症状」が現れるわけです。

また、医療の初歩の初歩として、ウイルス感染の診断をするときには、まず問診が最優先されます。症状の有無から推測を始め、必要に応じて採血やレントゲン検査などに進むのです。

仮に肺炎を患っていれば、それがウイルスによるものか、細菌によるものなのかを検討するために、ＰＣＲ検査は問診の次の段階で行うことになります。

新型コロナ問題でPCR検査しか行わない風潮は、医者であれば大きな間違いと気づくことです。こうした誤診の乱造を防ぐことは、研修医レベルで学ぶことなのです。そしてPCR検査によって診断される「無症状感染」という言葉そのものが大ウソなのです。

これまで「あなたは無症状だがインフルエンザなので、学校や仕事に行くな」と言われた時代はありません。しかしWHO（世界保健機関）や政府、御用学者をはじめ、医学会は最凶最悪の「無症状感染」という病名を作り上げ、メディアを利用してこれを大々的に広めたわけです。

つまり検査がすべてあてにならないのだから、新型コロナにおいては感染にかかわるすべての数字がウソなのです。

この無症状感染を基準として、大人だけでなく子どもにも、自粛や多くの制限を強いてきた結果、日本は完全に衰退し、経済的にも没落しました。

後述するいじめや不登校もそうですが、新型コロナウイルス関連の経営破綻が急増し、東京商工リサーチ（TSR）がまとめた22年度の新型コロナ関連の経営破綻（負債1000万円以上）は、前年度比46・4％増の2602件と増加しました。東京都が最も多く、大阪府、愛知県と続き、大都市圏を中心に経営破綻が発生したのです。

23年度は、物価高や人手不足などを背景に企業のコストが上昇し、新型コロナウイルス関連の経営破綻がさらに増加し、36・3％増の３１２７件です。

しかし行政は中小企業を助ける気は毛頭なく、大企業や多国籍企業の顔色をひたすらうかがうだけです。


マスクの問題もそうです。世界中でいまだにマスクなどしているのは日本だけです。世界では新型コロナの茶番性がずいぶん浸透してきています。明確な反対派でなくてもマスクは当然外しており、日本だけがガラパゴス状態になっているのです。

これが以前のマスクなし状態に戻れば少しは希望があるのですが、街中を歩く限り、マスクをしている人であふれており、まだまだ絶望しかなさそうです。

そもそもマスクにウイルス感染を防ぐ効果などなく、へたにマスクをするとかえって感染を助長します。詳細は拙著『医師が教える新型コロナワクチンの正体』（ユサブル刊）をお読みいただきたいのですが、マスクは害ばかりです。実際に、皆がマスクをしまくっていた3年間、ウイルスや感染者は増える一方でした。

これに加えて、ｍＲＮＡワクチンに代表される新型コロナウイルスワクチンの普及です。遺伝子合成技術という新技術が、人体にどのような影響を及ぼすかはわかっていません。これはスパイクたんぱく質や酸化グラフェンの話題を聞いたことがない人であっても、容易に想像できるのではないかと思います。

私は新型コロナウイルスワクチンを打った人は、タイムラグはあれども、さまざまな病気になると予想し、その詳細を拙著に書いてきました。

実際にその後、超過死亡者数は激増し、心血管系の疾患、今まであまり聞いたことのないようながんやターボがん（免疫力の低下により、がん細胞が一気に進展して急速に進行するがん）により死亡した人の話題を耳にすることが激増しました。

今後もありとあらゆるがん、不妊、アレルギー症状、脳機能障害、神経障害だけでなく、さまざまな病気が現れてくると考えられます。

日本の医療費は年々上がり続けていますが、人々は病院が病気を治す気がないことに気づきません。そればかりか、ますます医療に依存する傾向にあります。

ここで挙げた日本のどうしようもない現状は、ほんの一例に過ぎません。

ですがこれらはここ数年で起きたわけではなく、長年積み上げてここまで完成させたものです。世界で一番、日本人が病気だらけで出生率が低いのも、死亡者数が多いのも、私からしてみれば当然でしかなく自業自得です。25年に日本がなくなるのは確実ですし、最近は今年、24年にはなくなるのが確定するように考えています。

教育現場で急速に進む崩壊

人類や日本人がこの先も滅びないために、最も重要なものは次世代です。子どもを大切にしない民族に未来はありません。

しかし現在の日本は教育をはじめとして、子どもを大切にしようとは、まったく考えていません。

現代社会を生きていくうえで必要な知識すら教えられていません。テレビと御用学者の論説を信じていればいいとだけ教えられており、これは陰謀論でいう3S政策（スクリーン〈映像鑑賞〉、スポーツ〈スポーツ観戦〉、セックス〈性欲〉を用いて大衆の関心を政治に向けさせないようにする愚民政策）という言葉に通じます。

人が人らしく生きるために必要な知識は、国語、算数、理科、社会、いわゆる主要4教科と呼ばれるものにあります。そもそも学問は難しいものではなく、最初に習うものほど重要なのです。

国語はその民族が共有し、広く使用している言語を指します。改めていうまでもなく、日本人であれば、日本語をまず学ばなければなりません。

国語は人とのコミュニケーションの根幹であり、あらゆる学問を学ぶうえでも必要になる、最も基礎的な学問です。

漢字は読めるのに越したことはありませんが、多くの学校でやっている漢字の暗記などにはまったく意味はありません。

また数学ではなく算数こそ、生きるために必要な知識です。

中学校や高校で習った難しい定理や数式が、人生ではほとんど役に立たないことは、大人であれば、みな経験上わかるはずです。大切なのは、数を数えることと計算ができること、統計の考え方とそのウソが見抜けるようになることです。

算数の教え方にも問題があります。テストの問題の出し方は、国によって違いますが、日本は答えが一つにしかならないように問題を作ります。

日本人は何か一つを見つけると、それを答えと思い込んでほかの可能性を考えません。それは、こうした小学校の算数のテストからもわかります。

理科には、物理・生物・化学が含まれます。

世の中では物理学の法則で成り立つものが多くありますが、物事の法則を考える基礎となる物理に力を入れず、化学ばかりを教える傾向にあります。

化学は安直に物質の反応を見る（A→Bみたいな）傾向があり、医療をはじめとしてカネになる学問ですから、奴隷に教え込むには最適な学問といえるでしょう。

そして社会といえば、まず挙げられるのが歴史です。また、法律や政治も大事です。歴史は自分の国だけでなく、世界や社会の成り立ちに関わる重要な学問です。

日本の教科書に載っている歴史はもちろんウソばかりです。日本の発祥や縄文などの古代のことは決して詳しく教えないし、現代史も教えないことになっていることを知る人は少ないでしょう。

都合の悪いことは教えてはいけないという、とてもわかりやすい例です。

子どもたちが習う内容にも、このように大きな問題がありますが、さらに問題なのは教える場所と人間にあります。

昨今の学校と教師の質は、劣化の限りを尽くしています。ワクチンを推奨し、牛乳を飲ませ、菓子を食べさせ、支配とコントロールによって人間ロボット化を画策する教師や学校しか存在しないのです。

教師や大人のいうことを聞かない子や、変わった考えを持つ子どもは、精神科に送られ、発達障害やADHD（注意欠如・多動症）といった病名をつけられたうえ、薬漬けにされます。

昨今、増えている支援学級に入れることも大人の都合でしかなく、集団から隔離することで子どもに差別を植え付けています。

今の学校では、子どもが自分で観念や物質を創造することを許しません。変わった考えを持つ子どもは、つまはじきにされるのです。

本来、学校はさまざまな「知能」や「智慧」を学び、人とのつきあいかたや社会常識、社会倫理を学ぶ場でもあるはずです。しかし現代の教育システムは、自分で物事を考え、問題を解決できるようになるためではなく、思考回路を破壊し、問題を解決できなくするように仕向けられています。

言い換えれば、自分で判断して行動できないロボット人間を作ることを目的とし、国家や支配者に貢がせる奴隷として、判断能力のない殺人兵器を作っているのです。

東京都に目を向けると、22年4月7日には、都内公立小学校において約80人の教員の欠員が生じていることが公表されました。

中学校や高校は目立った欠員は出ていないとしていますが、都教育庁人事部の担当者はその要因について、「想定よりも普通退職者や病気休職者が多く出た」と分析しています。

しかしなぜそうなるのかを考えていません。小学校のように、子どもたちがより幼い時代のほうが、教育上は大事にされるべきなのに。

また、文部科学省が行った21年度の児童・生徒の調査で、東京都内の公立小中学校の不登校の子どもは、2万1536人（前年比22％増）で、文科省が都道府県別の結果の公表を始めた08年度以降、最多だったこともわかっています。

新型コロナにおける束縛対応が拍車をかけたと推測されますが、こんな学校システムを見て、行きたくないと思う子どもが増えるのは当然です。教育界は自分たちが悪いのだということをまったく自覚していません。

不登校の子にスクールカウンセラーなどつけようものならば、そうした子どもは精神科送りになるのがオチです。

また、21年度の東京都の公立校のいじめの認知件数が、前年比1・4倍の5万9835件にのぼることが、都が22年10月27日に公表した調査結果から明らかになっています。

前年度と比べると、小中学校・特別支援学級で増加していますが、教員が減っている小学校と、邪魔者送りで増やした特別支援学級では傾向が顕著です。

これも子どもの心を病ませるためにやっているのではないかと考えられるほどです。

悪いのは学校や教師、教育システムだけではありません。

今の日本人は徹底的なまでに依存症で、わがままであり、努力しない生き物になっています。情報は与えられて当然としか思っておらず、自分で調べ、自分で学ぼうとする姿勢を失っています。

子育てや人としての教育もすべて学校が行うもの、そんな大人が親となり子どもにもその姿を追わせているのです。つまり世の中のすべての親が毒親なのです。

倫理も、道徳も、基礎教育も、崩壊しきった日本に、子どもを大切に育てることなどできるはずもなく、その社会の行く末は絶望でしかありません。

カネを最優先させるマスメディア

新聞、テレビ、ラジオ、映画、雑誌などが代表となる情報媒体であるマスメディアとは、本来は受け手である大衆に対して、大量の情報を伝達するための組織のことを指します。また、テレビや新聞、雑誌や書籍などで、時事的な問題の報道や解説、批評などを行う活動のことをジャーナリズムといいます。

現在の資本主義社会において、マスメディアやジャーナリストは、ごく一部を除き、営利企業として営まれています。そのため企業の利益や経営の安定が優先される傾向にあります。

その結果伝達される内容は非常に低俗化し、画一化されるようになりました。要するに、彼らはスポンサーの顔色しかうかがっていません。

日本のテレビは海外と比べて特に異質です。

本来ニュース番組は、政治や経済や地域のニュースを流すもの。スポーツに関するものは、スポーツ専門チャンネルがあり、エンターテインメントに関わるものはほぼ扱いません。日本はニュース番組と称しながら、番組全体の25～30％の時間を使い、芸能人の出来事を延々と報じたり、活躍したスポーツ選手を画一的に英雄扱いしたりするだけです。

時事問題についても、大した勉強も調査もしていないタレントが、真面目な顔を装って批評家のふりをして語っているだけです。聞いているとあまりの無知さに絶望します。

新聞や雑誌についても同様です。大手以外の地方紙や小規模な出版社があるので、テレビに比べたら幾分マシなのかもしれませんが、どの新聞も一面はほとんど同じですし、最近は気概のある社説なども読めないのが現状です。

さらに近年のＡＩの発達から情報は一元化されやすくなり、こうした傾向はより強まっています。

政治家や医者、教師、弁護士など、周囲から「センセイ」と呼ばれる人たちは、自分達が社会を支配していると思い込んで幅を利かせる筆頭ですが、マスメディアも同じです。

マスメディアに関わる人たちは、情報を自分達の都合のよいように操作して発信し、社会や世論を動かしていると思い込んでいます。

日本人は究極的に奴隷根性の強い民族であり、長いものに巻かれろ主義ですから、簡単に一元化された情報に飛びつきます。

ただこの段階で、希望など語りたくはありませんが、テレビの視聴率や新聞の購読数がどんどん低下していることには、希望があると思っていいのかもしれませんね。

マスメディアがダメなら、インターネットがあるだろうと考える人もいるでしょう。もちろん、たまにはいいことも書いてありますが、今はＳＮＳでも、YouTubeなどの動画サイトであっても、Googleなどの検索サイトであっても、検閲がひどく、情報媒体としても、情報収集源としても、信用のおけるものではないのです。

さらにいうと、ネット層は安直な陰謀論に引っかかる輩ばかりなので、むしろSNSのほうが当てになりません。テレビも、ネットも、両方疑うようになりたいものです。

このような状態を許してきたのは、権力者やメディアだけの責任ではありません。日本人は世界で一番、テレビや新聞を信用している民族です。統計上のデータですが、テレビや新聞の情報を信用している人の割合は、イギリスで全体の15％、米国で20％程度ですが、日本は65～70％にも及びます（左ページの表参照）。

つまり日本人はよくいえばだれかを疑わない素直な民族ですが、一元化された安直な情報を信じやすく、簡単に惑わされるバカ正直な人々ともいえます。

こうして、権力者やメディアからバカにされ続けているのが日本人なのです。

日本の水、土地、森林が買われていく

医療や食、環境などの問題については、長い年月をかけて日本を滅ぼすための策がなされてきました。15年頃から国民の目にも見えるように、日本が日本ではなくなるような法

世界各国における組織・制度への信頼度（2017～2020年）

信頼度	日本	アメリカ	イギリス	ドイツ	フランス	イタリア	スウェーデン	ミャンマー（参考）
90%台								慈善団体
80%台	軍隊（自衛隊）	軍隊	軍隊	警察			警察	宗教団体 テレビ 環境保護団体 政府 国連
70%台	警察 裁判所		警察		警察 軍隊	警察 軍隊	裁判所	議会 行政 労働組合
60%台	新聞・雑誌 テレビ	警察 慈善団体	環境保護団体 裁判所	裁判所 慈善団体	環境保護団体		環境保護団体 国連 議会 行政	政党 大企業 警察
50%台		裁判所 環境保護団体 宗教団体	行政	環境保護団体 行政	裁判所 行政 国連	環境保護団体 宗教団体	環境保護団体 国連 議会 行政	裁判所 新聞・雑誌
40%台	大企業 行政 環境保護団体 国連	国連 行政	国連	軍隊 労働組合 ＥＵ 国連	ＥＵ 大企業	国連 大企業	ＥＵ 宗教団体	
30%台	政府 労働組合 慈善団体 議会（国会）	政府 労働組合 大企業	大企業 労働組合 議会 ＥＵ 宗教団体	議会 政府 新聞・雑誌 テレビ 宗教団体	宗教団体 労働組合 議会 政府 新聞・雑誌	裁判所 ＥＵ 行政 新聞・雑誌	新聞・雑誌 政党	軍隊
20%台	政党	新聞・雑誌 テレビ	政府	大企業		議会 労働組合 政府		
10%台		議会 政党	政党 新聞・雑誌	政党	政党	政党		
10%未満	宗教団体							

（注）各国の全国18歳以上男女約1000～2000サンプルの回収を基本とした意識調査の結果。日本、ミャンマーの調査年次はそれぞれ2019年、2020年。信頼度区分は、各組織・制度に関し「非常に信頼する」と「やや信頼する」の回答率（わからない・無回答を含む合計に占める）の計による。欧州価値観調査（European Values Study）との共同調査の対象国は、慈善団体、テレビがないなどの項目の違いがある。

（資料）世界価値観調査（World Value Survey.2021.1.29）

改正や行政指針が進められてきたのです。

その代表例が、種子法の廃止と種苗法の改正です。

米・麦・豆といった農作物を国民が安く安全に食べられることを目標とし、日本人が飢えないためにできた種子法ですが、18年4月に廃止されました。

一方、種苗法はいわゆる種採りのための法律で、農作物の知的財産権を守るためのものです。22年4月の改正により、品種開発者の許諾が得られなければ、今まで農家が行ってきた自家増殖が禁止されます。

つまり農家は自身で育てた作物から種や苗を採ることができず、栽培のたびに種苗を購入しなければならなくなるのです。

これは農家が購入しやすい苗が、国への影響力の強い大企業や外資系企業に偏る可能性が出てきます。日本で育てる作物の苗や種がほとんど外国産になることも考えられます。

農水省は改正での影響は少ないと説明していますが、多国籍企業に忖度していることは間違いありません。

同じく農作物に関連するものとして、23年の遺伝子組み換え食品表示の改訂です。今まで「遺伝子組み換えでない」と表示した食品でも、5％以下の意図しない混入は認められていました。今回の改訂では0・1％未満の混入も認めないというものです。

改訂前は、コストカットのための故意的な遺伝子組み換え作物の混入を許すという問題点はありました。しかし今回の改訂により、遺伝子組み換え作物が完全に混入していない場合ではない限り、表示を認めない方向になります。

この方針によって「遺伝子組み換えでない」と、自信を持って表示する企業が減る可能性があります。自信を持って表示できる完全管理の大企業の一人勝ちになり、小規模農家や中小企業は苦しくなり、表示するところは減るでしょう。

一見消費者によさそうな方針に思われますが、農家のことはまったく考えておらず、多国籍企業を優遇している形です。

20年の改正漁業法も、日本の食を脅かす法律の一つです。

今まで地元の漁協や漁業者が割り当てられていた漁業権の優先順位を廃止し、一般企業が参入できるようになりました。これにより外資を含む民間企業が、漁業権を入札で得ることができるようになります。

つまり日本近海で取れた魚であっても、漁業権を得た外資系企業が、日本人の許可なく外国に持ち出せるようになります。

本来、日本の海産物であるものが、日本人のものではなくなるのです。


種や作物、魚の次は、水です。

中国や外国資本などが、北海道などの水源地を含む広大な土地を買い漁っている事例が多数あります。

これだけでも日本の水に危険が迫っていることはわかりますが、法律でも海外に水を売り渡そうとしています。

それが麻生太郎の肝入りで進められてきた水道法の改正で、18年12月に成立しています。これによって水道の民営化が可能となります。

民営化により、外資系企業が参入する可能性が高まり、水道料金の高騰や緊急時の対応が懸念されます。

そして最も不安なのは、効率重視の水処理法による水質の低下です。世界ではフランスやドイツ、米国で水道民営化によってトラブルが続出し、水道事業は再公営化される流れになっています。日本はこの流れに完全に逆らっているのです。

東京都では、水道分野におけるＰＰＰ（公民連携）が既に進んでいます。

これは権利の半分は公、半分は民間企業というやり方ですが、段階的に民営化に移行するための方法だと考えられます。

当然ながら民間事業者は利益優先に走り、危機管理やモノの質、施設保全を二の次にする可能性がありますし、また簡単に事業から撤退するリスクもあります。

前述の外国の例がそうですが、東京都では、府中市・小平市・調布市・立川市・西東京市・武蔵野市が、下水道事業に関するＰＰＰ／ＰＦＩ提案窓口の設置を開始しています。

青梅市ではすでに下水道が実施済みで、大阪府では大阪市が工業用の下水道で始まるなど、全国でも民営化の導入が始まっています。

世界各地で水道民営化の動きが広がったのは90年代、水道民営化に関する調査機関ＰＳＩＲＵ（公共サービス国際研究所）のデータによると、00年から15年の間に、37カ国235都市で、一度、民営化した水道事業を再び公営に戻しています。

その理由は、民間企業に運営権を持たせたことによる料金高騰や水質悪化、サービスの低下などの問題が次々に出てきたからです。住民の命に関わる公共インフラは、民営化してはいけないのです。

実際にボリビアでは2年で35%、オーストラリアは4年で200%、フランスでは24年で265%、イギリスでは25年で300%と、どの地域も料金が跳ね上がっています。

ボリビアでは採算の取れない貧困地区の水道管工事は行われず、水道料金を払えない住民が井戸を掘ると井戸使用料が請求され、公園の水飲み場も使用禁止になりました。

ほかの地域でも水質が悪化しようが、水道管が老朽化しようが、修理は後回しということが起きています。これは多国籍水企業（ウォーターバロン）の支配を意味します。

水と密接に関係あるものが、土地であり、森林であります。

「国有林野管理経営法改正案」も非常に問題です。この改正案により、国有林の管理や経営について外資系企業の受注も可能になります。

木材の海外流出も問題ではあるのですが、注意すべきなのは、林業は許容されるのに植林が義務づけされていない点です。言い換えると、伐採しても植林せず、ハゲ山のまま放置してよい、ということになります。

国有林の役割は、そもそも林業のためではなく、自然環境の維持でもあるのです。国有林がハゲ山になることで、土砂崩れや洪水が起こりやすくなることが危惧されますし、きれいな水が維持できなくなる危険性があります。

奴隷国家を作るときの鉄則である、種の支配、水の支配、エネルギーの支配が、法律から見ても着実に進められていることがわかります。

これらの権利を売り渡すことと併せて進められているのが、超管理化社会です。

20年5月に参院可決されたのが「国家戦略特区法改正案」、通称スーパーシティ法案です。

ＩＴ技術や新技術を使って、最先端都市を作り上げることを目指す法案で、競争力の向上を求める経済特区である国家戦略特別区域を利用して行うものです。

国家戦略特区では、雇用ルールの改革という建前で、外国人労働者雇用の拡大と、日本人労働者の賃金を引き下げる流れがあります。

さらにビッグデータやＩＴの管理、ＡＩなどを利用することがこの法案の狙いでもあります。公共組織や地方公共団体、保健組織や公務員組織などが用いる個人情報の集積であるビッグデータを、管理と銘打って人々の同意なしに収集されるリスクがあります。マイナンバーカードと保険証が一体化される方針も、超管理化社会構築の一環ですし、最近はここに銀行口座の紐づけも強化されています。国民の健康情報やお金などを一元管理しようという政府の意図が透けて見えます。

特区とは直接、関係ありませんが、東京では東京メトロが、多国籍企業や投資家に株式売却を進めていく話はあまり知られていません。

国有財産の売却では日本国有鉄道（国鉄。現ＪＲ）や日本専売公社（現日本たばこ産業。ＪＴ）、日本電信電話公社（現日本電信電話。ＮＴＴ）、日本郵政公社（現日本郵政）などに続く大型案件となります。

これは財務省と東京都の肝入り政策として、国と都は27年度までにそれぞれの保有株式の2分の1を売却し、東京メトロの上場と民営化を進めます。

この半公半民を挟むやり方は水道などと同じです。ここで重要なのは、都は外資系企業にとって美味しいえさ場、ハゲタカが集まる場所になっているのです。

東京の国家戦略特区でいえば、22年で46プロジェクトから48プロジェクト、昨今はさらに増やされることが決定しているようです。

品川駅街区地区や新橋地区、東京駅近辺、池袋駅西口地区などが有名ですが、外資が利益を得るための乱開発が起こることになります。

当然ながらそこには巨額の都民税が投入されますが、何も考えてない日本人は、開発後に「街や建物がきれいになってよかった」と喜ぶだけでしょう。

これもまた、絶望的としかいいようがありません。

現代宗教が人を堕落させていく

人間をロボット化する教育システムを推進する官僚や、社会を情報で支配していると思い込んでいるメディア。それらを利用して背後から操っているのは、政治システムです。

また、支配や売国を進める法律に変えているのは政治家です。

ですが彼ら政治家でさえ、本人の意思で動いているというよりは、スポンサードされている者たちに操られて動かされており、傀儡《かいらい》政治家ということになります。

傀儡政治家を操るものの多くは、多額のカネを持つ財閥や大企業、多国籍企業ですが、忘れてならないのが宗教法人です。

代表的なものは自民党と深く関わりのある旧統一教会や、公明党の支持母体である創価学会で、幸福の科学などもその一つでしょう。


旧統一教会も、創価学会も、いわゆる世界的な宗教から派生したカルト団体として世界では認識されています。カネの行き先だけは異なりますが、両者は基本的に同じものと思って考えていればいいでしょう。

昨今は反統一教会、反創価学会の風潮も強まってきました。アメリカや財閥としては、これらの宗教団体は日本でのお役御免と考えているのかもしれません。

これらの宗教団体のやり方は、常に同じです。

悩める人を見つけては、入会に勧誘し信者を増やします。カネを効率的に集めるマッチポンプシステムが、宗教団体にはできあがっているのです。実は共産党系なども同様の手口を使います。

その囲い込みから得たカネの多くは、政治家や医師会などの医者を筆頭に、世の中の権力者の支援のために使われます。

権力者は、多額の支援をしてくれる人間や団体のため、さらに自分の利益に都合よくするため、システムや法律を変えて社会をダメにしていくのです。旧統一教会と自民党の関係も、公明党と創価学会も、宗教団体と医師会も、すべて構図は同じです。

どの宗教でも同じですが、熱心な信者であるほど病人ばかりです。

私のクリニックに来院する患者を診ていると、宗教信者や宗教2世、3世であるほど、がんや難病、精神疾患が非常に多いのです。

熱心な信者になると、出家という名目の監禁や多額の寄付によって、住み慣れた生活環境や社会から断絶されます。今までの人間関係や社会から隔絶することで、精神を保てなくなる場合は多いですし、肉体的にダメになることも多いでしょう。

社会から隔絶させることは、家族ぐるみで宗教に狂信することに繋がります。いわゆる宗教2世と呼ばれる人たちは、子どもの頃から宗教に囲い込まれ、その団体の価値観のなかだけで成長します。宗教から抜け出すには、相当な覚悟がなければできません（実際には、抜け出したいのにできないという相談者が多いものです）。

家族ぐるみで信者であれば、その家のカネは丸ごと宗教団体に入ると考えればいいでしょう。宗教団体から見れば、これほど美味しいカモはいません。


もし宗教が世界を救うのであれば、信仰している・していないに関わらず、世界中の人類や生物を助けたらいいように思います。

神や仏が、寄付や帰依、従属など求めることなどありません。しかし、そんなことを各宗教団体が認めるわけがないのです。信者というカモはずっとカモのままでいてくれないと、と思っているからです。

信仰している人は選ばれた人間で、選ばれた人間だけが助かるというのが、現在の宗教世界の言い分です。彼らの選民思想や支配欲は、透けて見えるどころか丸見えです。狂信させてしまえばだれも文句は言いませんから。

国や政治をダメにするからという理由だけで、私は宗教が傲慢だといっているのではありません。

現在の多くの宗教は、始祖が語っている思想から離れ、人間を堕落させ、従属させ、その周りにいる子どもまで破壊し尽くしています。それなのに、平和や博愛を語っていることそのものが傲慢だといっているのです。

23年には旧統一教会の解散命令請求が出たり、自民党議員のカネの問題が噴出したりしています。創価学会の池田大作会長の死亡ニュースも11月に出ました。

これら情報がこの時期になって報じられるということは、先ほど述べたように旧統一教会も、創価学会も、支配層にとってもう利用価値がなくなったから、潰れてもらって結構という意味を含んでいると私は考えています。

つまり日本をなくす計画はすでに完了しており、用無しには消えてもらうことを優先しているのです。

目先の快楽に走る依存的な人々

さてここまでは日本人の外側、いわゆる国の法律やシステム、これらを取り巻く環境について述べてきました。

日本がなくなるのはシステム上、仕方のないことではありません。なるべくして、なくなるのです。

フラクタル（相似形）理論というものがあります。簡単にいえば、図形の全体をいくつかの部分に分解していったときに、全体と同じ形が再現されていく構造の理論です。周波数が同じなら、同じ形になるという理論でもあります。

例えば地球が汚れ、海や川が汚れていることと、人の体内に社会毒があり、血液が汚れて病気になっていることはフラクタルです。

つまり日本のシステムがおかしいということは、日本人の多くがそれを望んだ結果ということになります。

情報だけでなく、自分以外の何者かが提供する目先の心地よさを追求することにかけては、天下一品の行動力を発揮する日本人の姿を以下に挙げてみましょう。

・テレビで納豆が健康に役立つと流れると、翌日、スーパーの棚から納豆が消える
・芸能人が勧める飲食店に何時間もかけて並ぶ

・新発売や新商品にはとりあえず飛びつく
・海外で流行《はや》っていると称されるものは何であってもオシャレに感じる
・健康にいいと標榜されるトクホ（特定保健用食品）のマークがついた商品を積極的に買う
・薬は体に悪いからと山のようにサプリメントを飲む
・サプリメントがダメだと聞けば、漢方薬ならいいと思い込む
・公立学校がよくないと知って、私立なら大丈夫と考える親
・宗教は嫌いだがスピリチュアルなら大好き
・健康診断で異常なしと示されると安心する
・とりあえず医者にかかればなんとかなると思っている
・病院に行くほどではないといって整体に通う

ここに挙げたのは、単なる例に過ぎません。AがダメならB、またはA＝Bというような短絡的な思考に、科学的根拠や信用できそうなだれかの後押しがあれば、簡単に信じてしまいます。

その象徴的な例が、多くの日本人が使っている以下のような言葉です。

「きっと大丈夫」

——主体的に何かをするのではなく、何かに従って成果を待つ。

「じゃあどうするの？」

——周囲に質問するだけで、自分では何もしないか人にやらせてだれかが解決するのを待つ。

「でも」「だって」「しかし」

——現在の悪い状況をごまかして逃げ、現状維持に走る。

「しょうがなかった」

——自分の責任を認めずに、自分をなぐさめる。

「周りの人は」「普通は」

——自分が批判されたり、仲間外れにされたりすることから逃げるため、多数派に合わせる。

これを読んでいるあなたも、こうした言葉を簡単に使っていないでしょうか。

ここに挙げた言葉は、すべて自分だけがよければそれでいいという心理が根底にあり、A＝BやAがダメならBという思考を生み、短絡的で目先の快楽だけを追求するようになるのです。

こんな日本にだれがした？

究極的な依存症は、究極の奴隷根性とも言い換えることができます。

この世界のすべてはフラクタルですが、陰陽でもあります。物事のすべてには表と裏があり、奴隷根性の裏は支配欲であり、究極的な依存症である日本人は究極の支配欲を持つともいえます。

奴隷は奴隷として常に何かに支配されることに依存しつつも、さらに狭い世界で自分が何かを支配しようとするのです。

上司が部下をバカにしながら自分の上司には媚《こ》びることも、家庭のなかで妻が夫に罵倒されながら妻が子どもを大声で叱り飛ばすのも、奴隷根性と支配欲の現れです。

支配とはまるでファシズムのように、人々から自由を奪うことだと思っている人も多いことでしょう。それも支配の一つではありますが、もっと厄介でもっと多数派であるのは、正義や倫理を押し付けるという支配です。

今の日本には、この厄介な支配が蔓延していると思います。


新型コロナ騒動のマスク一つを取ってみても、よくわかります。

政府やテレビに出ている人が着用を勧めるから、学校や会社がマスクを着けろというから、近所の人の目があるから、電車の隣りの人が怖いから、医者が勧めるから、という理由だけで大半の人がマスクを着けたから、マスクだらけの日本になったのです。

いわゆるマスク警察などは、押し付けの正義による支配の最もわかりやすい形でしょう。


「生まれる前に、子どもが親を選んで生まれてくる」という理屈は、親にとっては最も都合がよく、親の自尊心を満たし、自分の毒親っぷりを隠すものです。

その反対の思想として、世俗的には「親ガチャ」という言葉も生まれました。ガチャガチャのように、生まれた家庭環境によって子どもの人生が左右されるという意味のようです。

親たちは自分が毒親と指摘されることに耐えられず、子どもを無意識に都合よく操れるように誘導します。虐待やネグレクトなどを受けてきた子どもたちを、どう説明するのでしょう。

アメリカ大陸のインディオ、オーストラリアのアボリジニー、北海道のアイヌ民族などに代表される先住民のような「7代先のことを考える」のであれば、すべての子どもは大切にするほかなく、それは種の生存本能でもあります。後付けの理由などは、大人の都合のよさ、自己の正当化でしかないのです。

子どもを塾に通わせることも、名門校と呼ばれる学校を受験させて通わせることも同じです。子どもが本心からそれをしたいと思っていない限り、それは学歴社会を善としたい大人による子どもへの常識の押し付けです。親の体裁を繕い、権力のある職に就かせたいという権威欲と支配欲の象徴でしかありません。

医者や看護師はもちろん、多くのセラピストや他人を癒やすと称する人たちも、すべて支配欲の現れです。

専門的知識やオタク的な情報、他人に真似のできない技術などは、自分を認めて欲しいという承認欲求と、何かの上に立ちたいという奴隷の考え方であることなども、多くの人は気づいてもいません。もちろん私自身も、常に気をつける必要があります。

目先の正義や倫理、道徳を隠れ蓑にして行う社会活動や慈善運動、ヒューマニズムなど最たるものです。自分たちさえよければそれでよいという、醜い思想そのものです。

「こんな日本にだれがした?」

一昔前にこんな言葉が流行っていましたが、その答えは簡単です。

奴隷根性と支配欲しかなく、それに気づくつもりもない、すべての日本人がしたのであり、私もあなたも例外なくその一人なのです。

第2章

なぜ哲学や宗教を日本人は忌み嫌うのか?

哲学を学ぶことはダサいことか？

本書は希望とその前にある絶望に関する本です。希望とは未来に望みをかけること、絶望とは未来に望みがないことを指し、それを思う人間の精神の動きを表しています。

つまり希望や絶望を語るなら、心や精神について考えてみないといけません。

それでは、そもそも精神とはなんでしょうか？

『広辞苑』の定義に従えば、以下になります。

「①（物質・肉体に対して）心。意識。たましい。②姿勢的・理性的な、能動的・目的意識的な心の働き。根気。気力。③物事の根本的な意義。理念。④個人を超えた集団的な一般的傾向。時代精神・民族精神など。⑤多くの観念的形而上学では、世界の根本原理とされているもの。例えばヘーゲルの絶対的精神の類」

精神は広い意味では心や魂と同義で、非物質的な活動的なものを指します。

人間の精神は、感覚、理解、想像、意欲、価値評価などの能力の担い手として、こうした心的機能そのものとして解されます。時間的に変化しながらも自己同一性を保つ、物理法則には従わない、などの性質が帰せられ、ときには実体性や不滅性が主張されます。

そして精神や心、ときには思想を分析探求する学問が哲学や思想学、宗教学であり、真理認識・道徳・芸術に関わる高次の心的能力、理性、さらには超個人的な世界的原理にまで探究が高められることもあります。


それでは次に、そもそも哲学とはなんでしょうか?

『広辞苑』では長い定義の最初に、「物事を根本原理から統一的に把握・理解しようとする学問」と書いていています。

諸学の吟味や基礎づけを目指す学問。古代ギリシャでは学問一般を意味し、近代における諸科学の分化・独立以降、諸学科の批判的な吟味や基礎づけを目指す学問、世界・社会関係・人生などの原理を追求する学問とあります。


諸説ありますが哲学(Philosophy)という語は、古代ギリシャ語のフィロソフィアに由来し、「知恵を愛する」という意味が語源とされ、もともとは学問そのものを示す言葉であったともされます。

ギリシャだけではなく、イスラムやインド、中国などでも哲学は発展しましたが、地域によって研究対象や論理性は異なります。

ヨーロッパにおける哲学者は、古代ギリシャの道徳哲学者であるソクラテス、『ソクラテスの弁明』を著したプラトン、その弟子で『形而上学』を著したアリストテレス、近現代では虚無主義を提唱したニーチェや、批判哲学を主張したカントなどが有名でしょう。

東洋ではいかに生きるかという人生の実践に関心があり、学問というよりは道教や儒教のように、宗教的であったともいえます。

ヨーロッパでは、古代から特に中世まではキリスト教の影響が色濃くあります。世界と人間を徹底的に支配しているとされた、キリスト教と相対することが多かったようです。

哲学の定義は時代や追求する対象、定義する人の立場によって異なり、現在までに決定的な定義はありません。物事の真理や根本を考える学問、ともいえるのではないでしょうか。

何について追求するかは別として、昔の人は人間以外の存在について、「なぜか?」を盛んに問いかけました。

中世は現代と比べて人が簡単に死ぬので、自分の存在意義やなぜ生きているのかを考えやすい状況であったのは間違いありません。

また人間はいつの時代も無限の欲求を持つ依存的生物です。哲学をはじめとする学問に没頭するだけ、人間らしかったといえるでしょう。

今の世の中で科学と呼ばれるものも、近代以前は哲学の一つとして探究されてきました。『広辞苑』にもある通り、現代において、科学は哲学から切り離されました。

これが間違いの始まりで、その頃から人間は自分たちのことしか考えなくなったのです。特に今の日本人は、科学的根拠などの目先の情報を追うことに熱心になり、物事の根本を考えることをやめてしまったのです。

科学は「自然科学」と「人文科学」に分けられますが、ほとんどの人がそれを知りません。正確には、「社会科学」という領域もありますが、この場合、人文科学に含める形で説明します。

自然科学とは、自然に属するさまざまな対象を取り扱い、その法則性を目に見えるもの、因果関係としてわかりやすいものとして扱うものです。

昨今の人間が「科学的根拠は？」などと問う場合、現代科学、化学、古代物理学、解剖学など、自然科学を問うていることがほとんどです。

それに対して人文科学とは、人間そのものや人間がなし得たこと、もっといえば目に見えないものや曖昧なものでも、現象があり、事象があり、法則性が見えるものを研究対象とする領域です。

文化、文学、歴史学、芸術、政治学、哲学、思想学、宗教学などは、こちらに含まれることになります。人類の歴史においてこれらは、本来「科学」でもあり、むしろこちらの方が重視されていたのです。


やや陰謀論めいた話になりますが、現代人が自然科学だけを科学と思うようになったのは、まさに貧民のための科学を支配者たちが教育するようになったからといえます。

現代の教育は、問題を解決できるようになるためではなく、思考回路を殲滅《せんめつ》し、問題が解決できなくするために目先の科学に没頭させます。

暗記力や目先の研究結果しか見ないというのはその代表例です。結果的にほとんどすべての先進国の住民は、「それに科学的な根拠があるのか？」ということを問うように「設定」され、見えないが現実にあるものを忘れるようになりました。

私の専門分野である医原病（医療行為が原因で起こる病気）と薬害、精神学や思想学の領域では、論文や研究はウソの塊であると捉えます。そのウソを見抜けること、そのウソを概念として説明できることを、私はプロの治療家たちに教えています。

このウソは単なる科学の捏造だけでなく、統計学の巧妙なウソ、そして単一素因論（ある特定の原因によって起こったと考えられる事象のこと）のウソ、主観と客観の混同、主体操作などが主となります。

これらが理解できるようになると、ノーベル賞が世界最大級の詐欺であることも理解できます。現代、尊重されている二重盲検試験のウソも、説明できるようになるのです。

これらもまた一つの哲学的な考え方なのですが、今の日本人は哲学書を読まず、哲学を学ぶことをダサいとすら思っています。

しかし哲学を学ぶことは、精神や心を学ぶことであり、歴史を学ぶことであり、宗教を学ぶことであり、思想を学ぶことでもあります。

今のように目先の科学だけを学問のように捉えて学ぶから、日本が絶望的な状況にあるともいえるのでしょう。

私の人生に影響を与えた宗教と哲学

哲学と対になって語られるのが宗教です。

では、そもそも宗教とはなんでしょうか?

宗教とは、神、または超越的な絶対者や神聖なものに関する信仰や行事を指します。一般的には、人間の力や自然の力を超えた存在への信仰を主体とする思想や観念体系と定義されます。

自然崇拝やトーテミズム（始祖神である特定の動物・植物・鉱物〈トーテム〉を軸とした宗教的、社会的な規範）などの原始宗教、アニミズム（生物・無機物を問わず、すべてののなかに霊魂、もしくは霊が宿っているという考え)、特定の民族が信仰する民族宗教、仏教、キリスト教、イスラム教といった現代の世界的宗教など、多種多様な宗教がこの世界には存在します。新興宗教やスピリチュアルも、この定義に含まれます。

哲学と宗教を、明確に線引きできない人は多いことでしょう。宗教も大きな目で見れば哲学であり、心のあり方や生き方を模索している面はあります。

ただし哲学には良いも悪いも存在しませんが、宗教という存在になると、そこには集団意識が発生し、教義が発生し、おカネのやり取りが発生し、階級の上下が発生します。

宗教が生まれると、そこには人を支配したいという願望が発生し、善・悪、正しい・間違っているという思想が発生してきます。

哲学と宗教を分けて考えることは重要で、最も初歩的なことであるといえます。

また、特定の信仰で教義(=経典)に従い、行事や儀礼を行い、施設や組織を持つ社会集団のことを宗教団体といいます。

この宗教団体そのものが、現在の宗教と呼ばれているもので、広義での宗教と区別する必要があります。

宗教が現代のような支配的で、選民的で、金銭的になったのは、歴史をさかのぼって見ると、四大文明以後からです。

文明以前の機械科学のない時代では、見えないものや、わからないものはすべて、宗教的に解釈することが当たり前でした。

つまり自然の摂理への畏怖《いふ》として信仰があった時代から、文明の発生を境に支配する者と支配される者が生まれ、王族貴族制（身分制）、植民地と奴隷制、農耕や所有制、宗教の国教化、宗教差別が始まります。

古代都市の支配者である王族や貴族は、社会の問題点や支配者に抱く不満や不安から人の目を背けさせるために、信仰心と宗教を利用しました。

古代ギリシャでは、ギリシャ神話の神々を宗教上の神として崇拝させています。

ギリシャ神話に限らず神話の世界観では、神々による策略や殺し合い、姦淫《かんいん》などが許されています。それを証明するように、神々の神とされるゼウスといえば、暴君の筆頭のような存在です。

人類の歴史は、人間が神話の神々の振る舞いを真似する歴史であり、宗教を信じる人間の歴史そのものです。

神話の強者を宗教上の神に据えることで、支配者自身を崇拝させ、民衆に対してさまざまな横暴を行っても納得させる状況を作り出しました。より強固に人々を支配するために、国と宗教が結びついていきます。

また、国の支配者である王族・貴族は、さらなる支配を強めるために、人々に財産の一部を納めさせるようになっていきます。この財産とは昔は米（年貢）などの農作物、現代ではおカネです。

こうした一連の流れを現代に置きかえれば、特定の教義に傾倒して宗教団体に入り、盲目的にお布施を納めることであり、政治と宗教が密接な関係を続ける自民党と統一教会、公明党と創価学会の問題と大きくは同じであるといえるでしょう。

支配者が自分たち以外の人間を奴隷として扱うことは、いつの時代でも変わりません。

カトリック教会が運営するカナダの先住民学校での虐待死に関する報道は、記憶に新しいところでしょう。カトリック教会での性的虐待は、アメリカをはじめ世界各地で判明しており、日本でも告発されています。

もちろん、それはキリスト教に限った話ではなく、宗教の強制改宗や、宗教系学校や施設での拷問、性的虐待も世界各地でわかっています。

そうしたことは最近になって明らかになりましたが、それも氷山の一角に過ぎません。

世界的な宗教であれ、新興宗教やスピリチュアルであれ、本体のダメさ加減と信者の押し売り感はどれも同じです。

しかし日本人の宗教嫌いの理由は、宗教の愚かさとは関係ありません。

多くの日本人は、宗教と宗教団体の定義を混ぜて解釈し、宗教を煙たがる傾向にあります。

外国ではどの宗教を信仰しているかなどが、コミュニケーションの一環で話題にされます。

こうした話題に日本人は、宗教＝宗教団体という認識により、自分はどこの団体にも属していないことから安易に「無宗教」と答えてしまいます。

あとは自分の所属している宗教が恥ずかしいという理由（宗教2世、3世など）から、

「無宗教」と答える人もいます。

新興宗教も含めて、「宗教＝カネ」といった先入観や、現在までの教育の影響により、宗教について語ることも、考えることも、嫌がる人は多いことでしょう。

しかし実際には、支配する者によって、宗教のもともとの教えを考えさせないように仕向けられているだけです。

私の場合にはだれかから私が好きな宗教や哲学を聞かれたとすれば、原始仏教と自然崇拝主義（アニミズム）、そして虚無主義を人生の参考にしていると答えます。

ここであえて原始仏教というのには理由があります。これまで語ってきたとおり、伝播して成立した仏教もどき（「大乗仏教」といわれることが多い）は、すべて宗教団体としての定義を持っています。

それを偽善的で詐欺的な言葉でしか現代仏教が言わないため、世の人々は宗教を毛嫌いするわけです。

私にいわせると仏陀《ぶっだ》は、何一つ悟りなど開いていていません。

そもそも仏陀は、自分の言葉を目に見える形で何も残していません。弟子の伝聞が残っているだけですから、究極的には仏陀が語ったことではないのです。

ではなぜ私が影響を受けているのかといえば、私の祖父が両者ともに、浄土真宗の大きな寺の住職だったからです。

これはいい影響というよりも、悪い影響といったほうがいいかもしれません。親族のなかで現代的な仏教の腐敗を山ほど見てきたからです。

それでも伝聞として残っている仏陀の言葉は嫌いではなく、私は参考にしているのです。

また、私はかなり以前から、先住民的な思想を尊重してきました。

これは私の医学不要論の基本です。伝説の小児科医・真弓定夫《まゆみさだお》先生との共通点でもあると思います。

なぜ先住民的な思想に惹かれたのかは自分でもわからず、現状では本能とか、無意識のささやきかけとしか表現できません。

それと私は親族や浄土真宗一門への反発もあって、中学生頃にニーチェに傾倒した人間です。虚無主義については後述しますが、こういう私の来歴があるからこそ、先のような書き方になります。

原始仏教や自然崇拝主義、虚無主義などは、おカネとはあまり関係がありません。だからこそ私の気に入るところだったのだと思います。

ほとんどの人は宗教について、毛嫌いしかないと思います。

しかし宗教と宗教団体を明確に区別し、哲学的な意味での宗教を自我の確立につなげることは、悪くはないと私は思っています。

現状では文明以降はどの時代であれ、宗教が自己顕示欲や誇示、承認欲求や自己の理想像の現れになっていて、魂を悪魔に売り渡してしまったものになっていることは、特に否定しないところではありますが。

宗教とは違いますが、東洋医学や古代医学の思想も、私にとっては参考になっています。

一番は上医《じょうい》・中医《ちゅうい》・下医《かい》の考え方ではないでしょうか。

これを簡単にいえば、下医は臓器だけ・症状だけを診る医者、中医は臓器や症状だけではなくその人間そのものを診る医者、上医は人間だけでなく社会全体まで診る医者です。私は患者を診察するときだけではなく、あらゆるものを考えるときにこの考え方を意識しています。

この世の中で起きている出来事を考えるときには、目の前の出来事だけにとらわれず、その国や地域の社会背景や民族を考える必要があります。

言い換えると考古学や哲学、思想学、歴史学、優生学まで知ったうえで考える必要があるのです。

支配者に取り上げられた自然崇拝

世界的宗教を代表とする現代の宗教と、まったく異なる宗教観を持つのは、自然崇拝主義（アニミズム）でしょう。

厳密にいうと自然崇拝とは、自然そのものや自然現象に神秘的な力や何かしらの存在を認め、崇拝することをいいます。崇拝とはこの上ない価値があると思って敬うことです。太陽崇拝や樹木崇拝などが例として挙げられます。

自然崇拝に似たものにアニミズムがありますが、これは動物や自然物を含めたあらゆるものに霊魂が存在し、いろいろな現象が起こるという考え方のこと。「精霊崇拝」とも呼ばれます。

アニミズムは特定の地域にあるような土着宗教や民族宗教に多い考え方で、日本で古くからいわれてきた八百万《やおよろず》の神も、アニミズムのようなものとも考えられます。

自然崇拝でもアニミズムでも、根底にあるのは自然への畏怖や尊敬です。私はあえてこの2つを分けて考える必要はないと思っています。

先住民は自分たちの住む領域、日本ではいわゆる里山のような場所で、生活のすべてをまかなってきました。動物であれ、植物であれ、自然界のありとあらゆるものは、必要なときに必要な分だけ取ってくることを、長い間、くり返してきました。

自然界から不必要に取ることをせず、すべてをみなで分け合うという価値観です。実りが豊富なときはみなが豊かであり、厳しい季節はみな等しくひもじくといった、まさに自

然と一体化した暮らしです

所有も身分制もない先住民は、争いもなく非常に平和な暮らしを営み、現代のような支配的な宗教は存在しません。

古代民族や先住民は、暮らしに垣間見える彼らの思想や食生活から考えると、人間というより、野生動物に近いもので、しかも文化的でした。

病人や老人をあまり助けないといわれますが、これも野生動物に似ています。「死は自然と一体になるだけだから」という考え方で、自分たちは肥やしとなって子孫や次世代の繁栄を願ったのです。

もちろん先住民に選民思想のようなものは存在せず、生物の摂理としての自然淘汰と人口調整によって、民族は維持されていたようです。彼らは人口調整が非常に上手でした。

近年考古学で話題になっている縄文遺跡からは、縄文人も含めた古来の日本人は、世界のなかでも特に自然を崇拝し、家族を大切にし、平和的で共存共栄を考える人種であったことがわかります。これは八百万の神を信じ、平和ボケした現代の日本人とも何となく共通点があるように思えます。

また、現行教科書で最古とされるシュメール（メソポタニア）文明より、縄文文明のほうが古いことがわかってきています。

農耕や農業への考え方も、自然崇拝思想の先住民とは大きな違いがあります。

自然崇拝思想の先住民は、「農業は自然を傷つけるもの」という価値観を持っていました。これは傲慢な現代人には、なかなか受け入れられないものでしょう。

この価値観について地球を人体に例えて説明すると、大地は皮膚に当たり、地殻の内側が内臓に当たります。

農耕によって土地を耕すことは、メスで皮膚を傷つけることと同じです。農薬や肥料を撒き、種を植えることは、傷つけた皮膚の上から薬や化粧品を塗りたくること。種を植えることは、何かわからないものを人体に埋め込むことに当たります。

そして農作物の収穫は、人体で無理矢理に育てた何かを、また皮膚から根こそぎ刈り取ることと同じなのです。

現代の自称・自然派やオーガニック、ビーガン志向の人たちは、先住民たちへの畏敬の念をうたい、自分たちは自然崇拝に近い考え方を持つと思っているようですが、まったく違います。

農薬や化学肥料を使わないから、雑草を抜かないから、動物を食べないから、「自然に優しい」と主張するようなバカバカしさとは比較にもなりません。

そしてこのような人々が先住民の農業への考え方、ひいては大地や地球をどう捉えているのか。食べることや食物連鎖や狩猟の真の意味をほとんど理解できていないことを、私はよく知っています。

自然の摂理への崇拝をはじめとして、あらゆる信仰を破壊する方法は、非常に巧妙に行われてきました。

クリスマスとハロウィンは、キリスト教的なものを万人に広めるための同化政策の代表的存在です。

クリスマスツリーについて、キリスト教の教皇であるグレゴリウス1世が、次のように述べたことが知られています。

「人々の習慣と信条を取り除くどころか、それらを利用するように。ある民族集団が木を崇拝していたのならば、その木を切り倒すのではなく、キリストをその木に捧げ、彼らの崇拝をそのまま続けさせるのだ」

この言葉の意図は、樹木崇拝をしているある民族の木は切り倒して反感を買うのではなく、クリスマスツリーとして飾りたて、キリスト教のために利用せよ、というものです。

これを日本で考えてみましょう。日本人はクリスマスを喜んで受け入れ、消費主義が拡大して、目先の利益だけを追求するようになりました。日本古来の風習である正月はクリスマスに追いやられ、表面的な形だけのものになっています。

こうした風習のすり替えは、世界各地で起きていると思えばいいでしょう。

先に述べたように、宗教は文明によって、人間が人間を支配するための道具として利用され、現在までそれが続いています。

自然崇拝を人間から取り上げたのは、支配欲しかない人間自身です。

世界的な宗教を含むほとんどの宗教において、今や神を信仰するということは、自然の摂理を壊すことでもあります。神を信じているつもりで、悪魔に奉仕しているのです。

歴史上でも、現在でも、先住民が世界各地で弾圧や迫害を受け続けるのは、自然の摂理に反して何かを支配したい人間の本質によるものです。

「基本とは何か?」を考える癖

本章では哲学や宗教について述べてきました。希望や絶望を考察するために必要だからです。

それと同じく、希望や絶望を考察するために必要なものとして、「考え方の基本・基礎」というものがあります。

これは哲学や宗教と違います。

ご存じのように哲学は非常に小難しく、細分化されて書物になっていることが多いものです。

宗教でいえば、創始者や神など、だれかの言葉の伝聞であることがほとんどです。「法則」や「原理」に基づいて語られているとは限りません。

それでは基本や基礎というものについて、ここでは考えてみたいと思います。

残念ながら今の世の中では、人は目先の情報に振り回され、「基本とは何か?」といった重要な事柄に興味を持つ人はほとんどいません。

まずは「基本とは何か？」ということに興味を持ってもらわなければなりません。

その第一歩は、「基本」や「そもそも」を考えることです。

やや禅問答っぽいですが、基本を考えようとすることが基本です。言い換えるのならば、総論を必ず考えるように意識し、各論にばかり目を向けないようにするともいえるでしょう。

すべての物事には、基本となる原則や法則が必ずあります。

これは、私がすべてを挙げるのは無理です。

よって、私が思う重要なものを以下に挙げていきたいと思います。


【基本の法則の例】
・原因があるから結果がある
・根本から解決することが大事
・事実を観察することは重要である
・そもそも生物は現代病にならない

・発言よりも行動のほうに信用がある
・人間は根源的な承認欲求を抱えている
・目に見えないからないわけではない
・世界は相似形の宝庫である
・人間は隠れた支配欲の虜《とりこ》である
・幼少期の精神形成はとても重要である
・物事は一対一対応では説明できない
・そもそも世界に善悪などない
・歴史や哲学は大事である
・物質や精神は循環していく
・現実に向き合わなければ改善はない
・与えられ過ぎると生物は堕落する
・依存心と服従心と権威欲は表裏一体
・人間はみな、被害者意識や正当化心理を持つ
・昼があるから夜がある

・人間は生物である
・精神と物質は別々ではない
・詐欺師は必ずきれいごとを言う
・道具で根本は解決できない

基本の法則はこれだけではありません。また、ここに挙げられているものは、基本ではなく応用だと主張する人もいるでしょう。

まずは少々のズレは気にせず、「基本とは何か？」を自分で考える癖を身に付けてもらいたいのです。

昔の人たちは生きるために必要なこととして、目の前の出来事を残さず観察してきました。

ほとんどの現代人は、さまざまな情報や知識に頼るばかりで、観察することを忘れています。科学や根拠などといったウソだらけの情報に振り回される大人の視点を捨て、好奇心旺盛な子どものように、まず物事や現実を見て、「なぜ？」と疑問を持ち、自分の力で考えることです。

病気にも問題にも、必ず原因があります。より前提に戻って、原因を解決していかないと、病気だって、問題だって、解決しません。

原因と無縁のところに、薬やサプリメントなどがあるのです。

野生動物や先住民が現代病にならないというのも、実は生物学の重要な基礎になります。

現代社会に生きるわれわれ人類はもちろん、ペットですら、がんやアレルギー、そのほかの難病にかかるようです。

先住民や古代民族は長生きする人が多く、がんやリウマチ、生活習慣病にかかった人はまったくといっていいほどいませんでした。

先住民・古代民族や野生動物の死因の多くは、感染症（骨折などの外傷による2次的な感染も含む）、老衰、飢餓などです。そのことからも、生物はそもそも病気にならないと考えられます。

また、基本として、一つではなく組み合わせることが重要です。

数学に例えてみましょう。

数学には定理がいくつも存在しますが、定理の一つひとつは、それほど難しいものではありません。しかし、数学の問題は、定理を知らないと解けないものばかりです。知っている定理をいくつか組み合わせて解答を導きます。

この世の出来事もすべてこれと同じです。現代人は安易にAだからBというふうに、一対一で考えてしまう癖があります。実は、これはアメリカによる奴隷教育のなれの果てなのです。

今の人たちは、YouTubeやインターネットで発信されたものを安易に信じることも問題です。

ネットの情報は事実確認をされたものが少ないし、きれいごとが多くて大半は信用できません。

検索やだれかの動画配信などだけに頼れば、せいぜい耳学問でわかったフリに陥るだけで、「基本」や「そもそも」を得ることはできないのです。

世の中の陰謀論者と呼ばれる人々の大半には、このような基本がありません。支配者を語るには、支配者の思想や歴史を学ばなければなりません。それなのに、みな、安易な陰謀論にすぐ飛びつきます。陰謀論を唱えることで、自分を善だ、正義だと勘違いしているのです。

これは根源的な承認欲求を満たそうとしているだけの行為です。だからこそ、陰謀論者は押し付けがましく、現実世界で嫌われるのです。

そういう自分も、陰謀論者と思われているようですが、私自身は、陰謀論も、陰謀論者も嫌いだと公言してます。

基本を学ぼうとするのであれば、まず既存の本で構わないので、歴史や哲学などに関する本をたくさん読むことです。なぜなら本は細切れの情報ではなく、かつ一貫性があるからです。

また、好きな著者、好きな考え方だけを追いかけるだけではなく、苦手な分野や主張の異なる著者の本まで、とにかく幅広く読んで知ることです。

そこから思想や思惑、社会背景などが見えてくると、物事の根本にある考え方がわかってきます。その根本を自分の頭で常に考えるための基礎こそが、「基本」や「そもそも」を考えることにほかなりません。

人の心の「絶対法則」

この世の中のすべての物事には、基本や法則が常に存在するように、精神にも絶対の法則が存在します。

人格や精神、心は多様であるから、精神に法則性はないと思われるかもしれません。しかしそれほど甘いものではないのです。

この心の絶対法則は、現代の人間だけでなく、過去すべての人間に適応されます。詳しくは拙著『心の絶対法則』をお読みいただきたいのですが、読んだ人の感想を聞くと、大半の人は内容が難しいと答えます。

実はあの本は、私にしてみればとても簡単に書いたと考えています。心の構造をもっと深掘りすることもできるのですが、多くの読者がついていけないために、手加減して書いています。

しかし大半の読者が難しいと感じるいちばんの理由は、これまで述べてきたように哲学、思想学、宗教学、歴史学から人類が逃げてきたからなのです。

人間は自分が自分だと認識できる「表層心理（顕在意識）」と、認識できない自分である「深層心理（潜在意識）」によって人格が形成されています（左ページの図参照）。

よく人間の心を氷山に見立てて説明されますが、海面より上の見えている部分を表層心理、海に沈んで見えない氷の部分が深層心理です。実際の氷山と同じように、人間の心は表層心理と比べて、深層心理の方が圧倒的に大きく根深い層構造を成しています。

表層心理は表面的な自分の心です。常識的な心、体裁的な心、目先にとらわれる心など、自分が認識できるものです。

深層心理はより根源的で本質的です。生存欲求的で、摂理的な意味を持ち、ここに善悪は存在せず、多層構造で作られていきます。深層心理のすべてを自覚することは、だれにもできません。

この深層心理にあるものの一つが、幼少期の仮面精神の形成です。特に0〜5歳までの

人の表層心理と深層心理

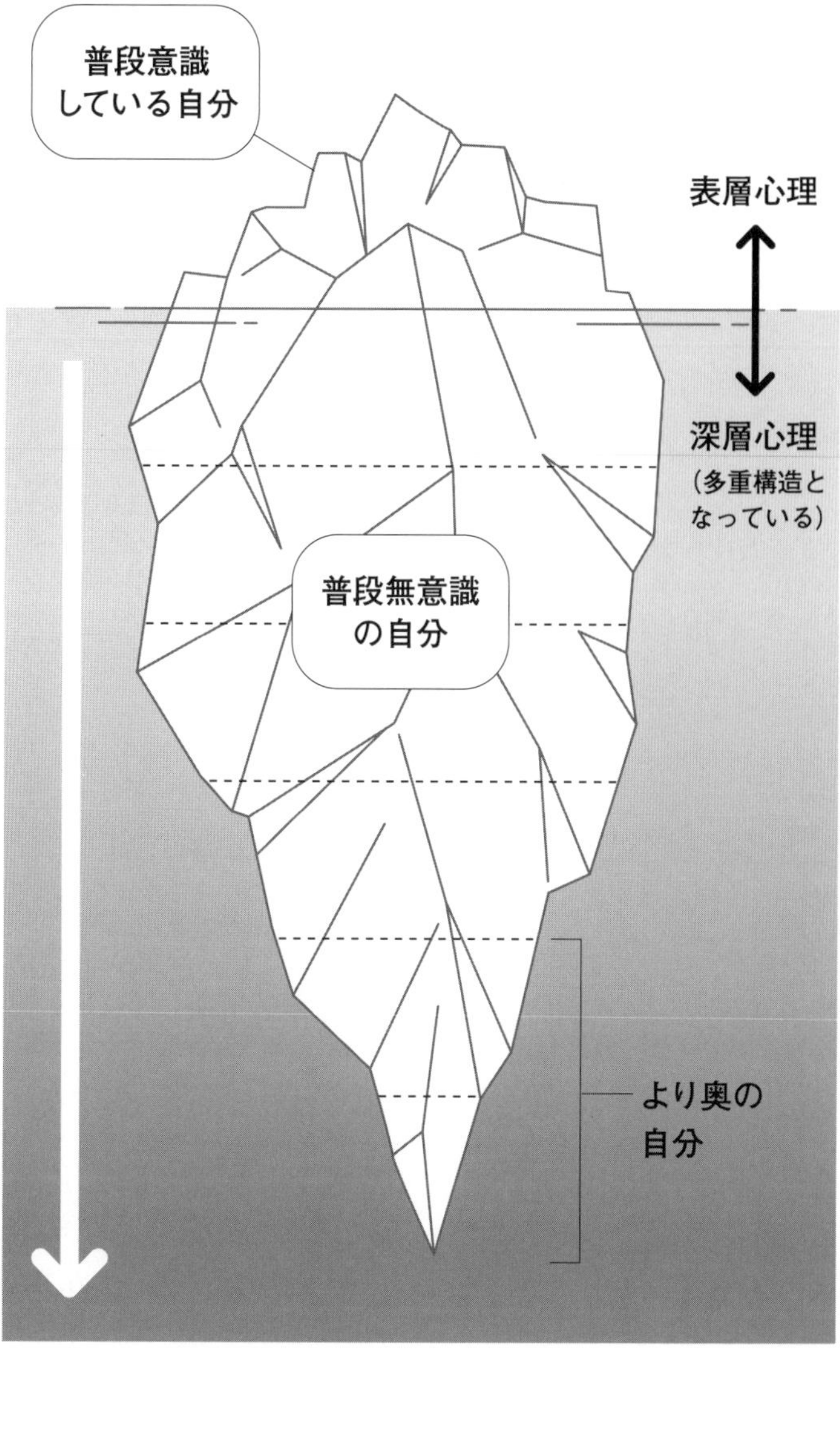

時期の影響が強いといわれています。

この幼少期の仮面精神を、業界用語では「アダルトチルドレン像」といい、万人に存在します。大人になっても、幼少期の満たされない思いに常に突き動かされて行動し、意識していないのに親の真似をしてしまうようなことを「**転写の絶対法則**」といいます。

心の絶対法則は、ほかにもいくつもあります。これまでの宗教の話と照らし合わせて、説明していきましょう。

「**事実観察の絶対法則**」は、事実を観察することの重要性を示しています。もう少し深く考えると、人間の話すことはすべてウソ、起こった結果や行動パターンのほうが信用できるという法則です。

ウソをついていないと思っている人も無意識でウソをついていることに気づきません。

「**支配欲の絶対法則**」は、人間の根源的欲求の一つであり、奴隷が奴隷制のなかで、さらにその下に奴隷を作るということです。

これは、貴族や王族のことだけを示しているのではありません。この法則も全人類に適応されます。

「反動の絶対法則」は、人間の自我を守るセキュリティブロックのようなものです。簡単にいうと、事実を直視せず、壁を作って認めないというものです。

へたに事実を認めてしまうと、価値観が崩壊してしまうため、自己防衛本能として捉えることもできます。

「被害者意識の絶対法則」は、人間が人間である限り、自分は被害者でなければならないという意識であり、本質的に逆らうことのできないものです。

もっと簡単な言葉を使うならば、「自分のせいではなくだれかのせい」です。

この被害者意識と自己正当化、そして依存心というのはセットでもあります。

このような人間の心の絶対法則を、多くの宗教が利用しています。

人々が考える「自分が救われるべきもの」という被害者意識は、特定の信仰に繋がります。救われない目の前の事実は、常に観察できず、目先の快楽で救われたと勘違いするのは、絶対法則から外れることはありません。

宗教団体は信者を支配し、信者はまた別の信者を支配します。人は支配されるからこそ、「支配されていない」と安いプライドの言葉を吐くことになります。


こうした精神のループを、個人では幼少期から大人になってからもくり返します。歴史において、形を変えながら過去から現在までくり返されてきたのは、人間の精神に常に心の絶対法則が働いているからです。

人間が常に奴隷でい続け、支配欲と管理されたい欲求があることは、宗教の歴史を見てもわかるのです。

能動的ニヒリズムが虚無主義の本質

さて自分は虚無主義者である、世の中は虚無だ、と以前から私は講座や著書で述べてきました。

この虚無主義という哲学は、日本では誤って理解されています。

また、多くの本を出したり、講演をしたり、社会変革のために活動したりしている私を見て、虚無主義ではないと思う人も多いようです。

確かに私は虚無主義者になり切れていないのかもしれません。

しかし多くの人は、虚無主義についてまったく理解していないのです。

虚無主義（ニヒリズム）は、哲学的立場の一つです。生きている世界、過去、および現在におけるすべての存在には、なんの真理も、本質的な立場もないという考え方です。

ドイツの思想家であるフリードリヒ・ニーチェが、その代表者でしょう。

この世界のいかなるものも、いかなる思想も、すべて無価値であると考えます。

ニーチェはニヒリズムにおいて、人間の態度は2つあると述べています。

一つは最高の価値と思い込んでいたものを失い、すべてを無意味に感じられるために何も信じられなくなり、成り行きに任せて生きていくというもの。これを「受動的ニヒリズム」と呼びます。

もう一つは「能動的ニヒリズム」と呼ばれるもの。すべてを無価値と感じ、それらを乗り越えてゆくために、無価値・偽り・仮象（実在そのままでなく、その仮の現れ）を前向きに捉え、新しい価値を能動的に創造していくという考えです。

虚無という漢字から、日本人は何もないことや虚しさ、空虚感をくみ取るのか、一般的には受動的ニヒリズムの考え方だけを、ニヒリズムと捉えることが多いようです。

お花畑日本人は、なにしろ目先が大事なので、言葉の定義づけを間違えても、否定的なイメージの言葉よりも、希望的な言葉にすがるのです。

虚無主義的な観点でいえば、人間はクソで、宗教も、医療も、政治も、クソだといっているようなものですから、何をやってもムダと勘違いしやすいでしょう。

しかし、ニヒリズムの本質は、能動的ニヒリズムにあります。

この思想のなかには、「無価値であることが当たり前」というのがあります。逆にいえば、あらゆるものは、「そこそこにしょうがないくらいの小さい価値はある」と書き換えることもできます。

この思想は自然界に特別な価値はなく、ただ循環していくものであることや、仏陀の教えである執着にとらわれない考え方とつながると思います。

また、重要なことは、能動的ニヒリズムは、無価値の循環、負のループをくり返していくような状況（永劫回帰）から、蛇の知恵と鷲《わし》の勇気によって抜け出すことを目的としています。

この抜け出した状態を「超人」と呼んでいますが、これは執着と煩悩から解放された悟りの姿に近いのかもしれません。この2つの思想は、実は類似点が多いのです。

ニヒリズムが誤解される理由は、歴史にも理由があります。

ニーチェはその著書『アンチキリスト』において、神は死に、人間の時代がやって来るとともに、烏合の衆の時代が来ると述べました。

多くの人たちによって真理や善悪の基準が決められるが、それもまた本当の真理でも、真の道徳でもない、としたものでした。

ナチスは優生学（人類の遺伝的素質を改善することを目的とし、悪質の遺伝的形質を淘汰し、優良なものを保存することを研究する学問）と結びつけて、ニーチェの考えをプロパガンダに利用しました。

神が死んだ世界は、信仰が薄れ、目に見えるものや現実的なものがより信用されます。そんな世界の人間の精神性には意味がないものとして、善悪の概念を否定して利用されたと考えられます。

ナチスだけでなくだれかの思想を利用する者は、自分たちに都合のいい部分だけを切り取って使用し、本来の意味を失わせていることがほとんどです。

ニーチェの虚無主義についても同様で、すべてが無価値だから何をやっても許されるという哲学ではありません。

私がニーチェを支持しているのは、彼が能動的ニヒリズムを肯定している点です。

「永劫回帰」とは、生の絶対的肯定を説くニーチェの根本思想です。「永劫」は、無限に続く長い年月。「回帰」は一周して元のところへ帰ること。世の中は同じ事象が永遠にくり返してくるということを意味します。

仮に輪廻転生があるとして（私はないという思想を持っています。詳細は拙著『魂も死ぬ』〈電子書籍は三五館シンシャ刊〉）、人間は無価値のまま死んで、また無価値で生まれるのを延々とくり返すとも捉えられます。

確かに今の日本の現状では、多くの人が虚無主義的になってしまうのもしょうがないかもしれません。

政府やメディアは腐敗し、正義を装う人や組織はいつも詐欺行為や内ゲバばかりです。子どもや孫にもそれが受け継がれ、ますます絶望に陥るループです。

しかしその現実を踏まえて、正義心、善悪の基準、承認欲求、執着などから解放されることが、「超人」ではないかと私は思うのです。

永劫回帰や、生きている価値などないという事実に負けて無気力になるのではなく、まずその現実を直視し、自分の運命を愛するという、強いニヒリズムです。


こうしたニーチェの思想を、私は生きる参考にしています。

また、この思想により、実際に患者などを指導しています。プロの治療者向けの講座で精神分析を教えるときに、「自分がカスと腑に落ちることが、カス脱出の第一歩」と述べる理由もここにあります。

これは自分の正義心や善悪の基準、思い込みや承認欲求からの解放でもあり、体裁や忖度心にとらわれず、正直に生きていく術を学ぶことでもあります。

一度自己否定できないと、自己肯定もできないのです。

この絶望的な世の中が、私の個人的な活動で変わるとはまったく考えていません。私が死ぬまでに、世の中の変化を感じることはおそらくないでしょう。自分の子どもや孫の代であっても、変わる保証はありません。

それでも何かしらの活動を続けているのは、何世代先かはわからなくても、ニーチェのいう「超人」に人間がなる可能性を、私自身が捨てきれないからでしょう。

これは先住民たちが7世代先のことを考えて暮らすことと、同じような思想といえるかもしれません。

希望を見出すのは自分自身

思想とは、考えや思考が体系的にまとまったものです。

「基本」や「そもそも」を考えることをせず、考えることをさせない風潮で生きてきた現代の日本人には、真の思想はほとんどありません。

仮にあなたが思想だと思ったものも、インターネットからの拾い物や、だれかの受け売りであると思ったほうがいいでしょう。

ニーチェを例に考えてみましょう。

ニーチェが活躍した時代は、キリスト教が盛んな19世紀後半です。彼のニヒリズムは、キリスト教的な世界観の批判にもつながっています。

この時代にキリスト教の批判をするには、付け焼き刃的な知識や思考ではまったく刃が立たないでしょう。

すべてのものが無意味であるとするには、その時代の物事や歴史を知らなければなりません。キリスト教を批判するには、キリスト教の教義だけでなく、信仰する側も知らなければなりません。

すべて知ったうえで、そもそもキリスト教とは何か？　宗教で人は救われるのか？　を問わなければ、すべては無意味という思想には辿り着けないはずです。

別の視点で、いわゆる支配者を考察します。

陰謀論的な支配者（財閥や上流投資家たち）でも、歴史上の王族・貴族でも、なんでもいいのですが、彼らは支配構造を熟知しています。奴隷が奴隷であり続けることも、自分たち支配者でさえ奴隷であることも、支配する側の心理だけでなく、支配される側の心理まで、心底、理解し叩き込んで作戦を練っています。

彼らは、基本をよく理解しているなと、私には思えます。

しかし現代の日本人は、まず目先の方法論ありきです。「ワクチンは危険で怖いからやめる」「薬は副作用が怖いから飲まない」「玄米菜食は体にいい」「ネットで正義をうたっていれば世の中は変わる」など、それを挙げればキリがありません。

すべてが、自分たちの承認欲求や正義心の成れの果てに過ぎません。事実がなく、現実がなく、目先の行動であり、依存でしかありません。

重要なことは手段や受け売りの行動ではなく、どんな思想を持って行動しているのか、そもそも自分の思想はどんなものなのかを自覚することです。

思想とは雑誌やテレビ、YouTubeなどで語られる安直な人生観とは、一線を画すのだと理解できているでしょうか。

今の日本には絶望しかありません。絶望のなかに希望を見出すのは大変な作業です。それでも希望を見出すのは、自分自身でしかないのです。

希望も、絶望も、それは思想であり、精神の動向です。

だからこそ、自分の内側を直視することが重要です。その背景、承認欲求、依存心、被害者意識、仮面精神、反発心、支配欲などに向き合い、虚無主義の無価値な感覚をこれにもあてがい、自分の闇を知ることで、自分の執着や正義願望から抜け出すことができます。

これらは、自らが希望を得るための第一歩です。

もちろん、人類にとってこれらの作業が非常に難しいのを、私は知っておりますが(笑)。

第3章

ウソにまみれた日本史とエセ右翼

支配者による隠蔽の日本史

本書の読者ならば学校で教わることは、なんであれウソにまみれているということは、もうお気づきかと思います。

そのなかでも教科書に載る歴史は、大東亜戦争後、GHQや日教組、支配者、アメリカ、中国、韓国などによって、都合のよいように書き換えられてきました。

明治維新にしても、為政者の都合のよい歴史に書き換えられています。

とにかく歴史については何が真実か、何を学べばいいのかがわからない状態です。

本章では日本の歴史について考察しながら、安直な保守や右翼系の思想の問題に触れてみたいと思います。

世界の四大文明より先に、日本では縄文文明が栄えていました。この事実一つとっても、先に挙げた白人の支配者たちにとって都合がよくありません。

そもそも私たち日本人は、いつから人間となり、いつから日本人となったのでしょうか。

人類自体の歴史は約700万年だと「正史」ではいわれていますが、この世界はウソだらけで、私はそれも信用しておりません。

これを信用していると、先住民の持つ謎がまったく解けませんし、伝承とはまったく違う話になってしまうからです。


近現代史を考えるとき、覚えておくべきことの一つに、戦後のアメリカ統治による教育があります。これにより、日本人が愛国心や強い意志を持たないように意図されてきたのです。

以前、教科書の作成委員会に入っている人に、私はこんな話を聞いたことがあります。日本の教科書では書いてはいけない言葉があり、例えば「志《こころざし》」を挙げていました。支配者たちにとって、日本人は奴隷らしく生きてもらわないと困るのです。

日本の古代史といえば、邪馬台国《やまたいこく》が真っ先に浮かびます。

しかしその成立過程も、場所も、実在していたのかさえも不明です。

邪馬台国と大和朝廷成立の間には、ぽっかりと空白の時間があります。そのことについて日本人が興味を持ったり、議論をしたりする兆しもないのは、ＧＨＱが行ってきた洗脳教育の賜物《たまもの》でしょう。

そもそも邪馬台国を考える前に、日本の建国の歴史があります。ほとんどすべての日本人は、学校で日本の建国の歴史を学びません。

これもまた、アメリカが仕向けたものであり、奴隷である日本人は建国の歴史など知ってはいけないという意思表示です。建国の歴史とそのウソについては、後述しましょう。

私たちが現在、日本の古代史を知るのは７１２年に編纂された『古事記』と、７２０年に編纂された『日本書紀』によります。

『古事記』と『日本書紀』は、まったく性質の異なる文書です。

『古事記』は神話や伝説が多く、天皇の正当性を証明するために天皇家の歴史を残し、日本国内向けに書かれたものです。

一方の『日本書紀』は、日本という国の正当性を国外へ示すために、国家の礎を残すことを目的に書かれました。

明治維新後、大東亜戦争で敗戦するまでは、学校教育の場において、『古事記』を原典にした天皇家を中心とした歴史教育がなされました。子どもたちは、「神武《じんむ》・綏靖《すいぜい》・安寧《あんねい》・懿徳《いとく》……」と歴代の天皇の名前を暗誦させられていたのです。遺跡が発掘されて明らかになっている縄文文明についてや、『魏志倭人伝《ぎしわじんでん》』に記されている邪馬台国、そして大和朝廷成立前の空白の150年については勉強しません。

これは、どのような意味を含んでいるのでしょうか。

それはもちろん、天皇家による支配の確立のためです。もう少し専門用語を使えば、「現人神《あらひとがみ》信仰」（この世に人間の姿をして現れた神である天皇を敬う信仰）を徹底するためでしょう。

大和朝廷とは、渡来してきた「欲望的な人々」の支配する国家であることも、大和朝廷の「天智派《てんじ》＝百済《くだら》支援（後世の南朝側）」で、「天武派《てんむ》＝新羅《しらぎ》・唐《とう》派（後世の北朝側）」であることも、日本の歴史が北朝と南朝の代理戦争であることも、絶対に学校では教えません。

要するに日本の貴族や王朝には、渡来系の民族がたくさん入っているのです。日本の支配者が外国人とはこれいかにという感じですが、その事実は学校では教えてはいけないことになっています。

明治維新は、薩摩・長州・土佐の三大藩がイギリス王室、フリーメーソン、海外の軍事産業と手を結んで行われ、日本における外国勢力の支配の完成を意味するなど、口が裂けてもいえません。

戦国時代についても、外国の文献や宣教師が本国に送った資料を参考にしたほうが、真の姿がわかります。それくらい日本の歴史教育はテキトーなのです。

江戸時代は、五公五民の厳しい年貢で農民を締め上げ、貧しく不公平で非文明的な時代だったとか、武士が「切り捨て御免」と農民や商人に横暴な振る舞いをしていた野蛮な時代だったとか、そんな幕府や武士による支配が行われていたというイメージが流布しています。

これらのイメージも、明治維新や、それ以降の新しい日本のモデルを肯定するための捏《ねっ》造《ぞう》です。

実際には四公六民（藩の税収を4割とし、農民の収入を6割とすること）だったという資料も残っています。また、世界的に見ても、この時代で人口は世界一、識字率も世界一。武士は慎ましく貧しかったともいわれています。

とにかく日本で行われている歴史教育にとって重要なのは、日本の真の姿を知ってはならない、日本のいいところを評価してはならない、日本の悪いところや外国勢力の横暴を批判してはならない、そして外国のおかげで日本が成り立っているんだと思い込ませるところにあります。

しかし本書は希望の本ですから、この歴史教育の現状において、希望と絶望について考察しなければなりません。

日本の現状が絶望的であることは、第1章でも述べました。残念ながら現在の日本では無理ですが、これを抜け出すために必要な要素は、実は歴史教育であるといえるでしょう。

第3章では日本の良いところも悪いところも含め（善悪はどうでもいいですが）、日本の歴史を振り返ってみましょう。

弥生人に蹂躙された縄文人

縄文時代があたかも原始的で、未開の人たちによる狩猟採集生活がなされていたというイメージは間違いです。

1万年以上も前から、日本では縄文の人々が巨大な集落を作り、文化的な生活をしていたことが、遺跡の発掘調査からわかっています。

遺跡からわかることは、一部では農耕も行われていたこと。そしてなんと言っても、対人用の武器がまったく出土していないことから、大規模な争いがなかったことがわかっています。

自然が豊かだったので、収穫物を取り合う必要もなかったのでしょう。

「世界四大文明」といって、歴史の教科書では、紀元前2000年~4000年の頃に、メソポタミアやエジプトや黄河周辺などで文明が始まったと教えられています。

しかし欧米では世界四大文明など通用しません。世界四大文明というのは学説ではなく、考古学者の江上波夫《えがみなみお》氏が普及させた教科書用語です。1952年、世界史の教科書に出てきたのが最初だといわれています。

実は世界四大文明という呼称は、中国と日本で流布されていますが、それが支配層たちのどうした意図なのかは、賢明な読者ならおわかりでしょう。

中南米では、マヤ文明やアステカ文明、インカ文明が既にあり、世界のあちらこちらで、いわゆる世界四大文明より前に文明が始まっていたことはだれもが知っています。それなのに、教科書では世界四大文明が幅を利かせています。

日本でも、縄文時代の縄文人は狩猟採集を行う原始的な野蛮人というイメージで、後の弥生時代に大陸から農耕が伝わってきたことで、やっと文化的な生活が行われるようになったと思っている人が多いことでしょう。

しかし打製石器も、磨製石器も、世界で一番古いものが見つかっているのは何を隠そう、日本なのです。

漆《うるし》も、中国からその技術が渡ってきたかのように思われていますが、実は縄文の前期、すなわち1万年前の遺跡から、漆器は発掘されています。

また、模様がきれいな縄文土器を作るほうが、のっぺらした弥生土器を作るよりも高度な技術を必要とするということは、だれが見てもわかるでしょう。

衣服にも同じことがいえます。縄文の土偶から見て取れるように、縄文人の服装は、上着は前で掛け合わせたり、縫い合わせたりしていて、下はズボンのようなものを穿いていています。皮や布で作られた靴も履いていたと考えられています。翡翠《ひすい》や水晶、琥珀《こはく》などの石や粘土のほか、動物の骨や牙、角、貝殻、木などを、さまざまな形に加工した装飾品も身に着けていました。

一方弥生人の服装は、『魏志倭人伝』の記述によって、どのようなものだったのかがわかっています。

男性は、「横幅衣《おうふくい》」と呼ばれる幅の広い布を腰に巻き、「袈裟衣《けさい》」と呼ばれるもう1枚の布を肩から前にかけて結んでいたそうです。横幅衣は古代エジプトやヨーロッパ、インドなどのアジア諸国でも見られる世界で共通する服装です。

女性はといえば、「貫頭衣《かんとうい》」と呼ばれる、布の中央に穴の開いた服を着ていました。貫頭衣は東南アジアの稲作民族の日常着としても知られています。

衣服を見ただけで、弥生人とは大陸から日本へ渡ってきた人々だということが容易に想像できます。

弥生土器も、つるんとした特徴のない世界中どこにでもあるような土器です。

一方で縄文土器は火焔《かえん》土器に代表されるように、その個性的なフォルムは世界中どこを探しても似たようなものは存在しません。

時代が進んだにも関わらず、土器も衣服も、創造性、芸術性、技術も、どれをとっても弥生時代のほうが簡素過ぎるのです。

最近では、縄文時代に立派な文明があったことが証明されつつあります。縄文時代ではなく、「縄文文明」と呼ぶに値するのではないかという考えから、私はこの呼び方を採用しています。

縄文の人々に限らず、先住民の文化はシャーマン文化が多くあります。縄文では、女性がシャーマンとして尊重されていたのではないかと推測されています。

また、縄文文明では巨大な集落を作り、農業の発祥は世界一古いとされます。調理や食事のための土器や漆器、道具、祭祀や儀礼に用いたであろう土偶や装飾品、どれを取ってもこの文明は、豊かな精神性と芸術性、文化によって形成されていたことがわかるのです。

おそらく、現代に残る先住民族と同じように、「長老」や「族長」と呼ばれるリーダーはいても、彼らは決して支配する立場にはなく、身分や所有などという概念からも自由に生きていたのではないかと推測されます。

縄文人がどの地から渡ってきたのかは、未だに解明されていません。

骨格から起こした彼らの想像図を見れば、小柄でホリが深く、二重瞼《ふたえまぶた》で、アイヌや沖縄の人たちのようないわゆるソース顔です。おそらく、海側から渡ってきたのではないかと想像できるでしょう。

一方、弥生人は吊り目で一重《ひとえ》瞼で、醤油《しょうゆ》顔といわれるあっさりした大陸系の顔です。

1万年以上前に日本に渡り、平和に、そして独特の文明を育んできた縄文人。彼らは大陸から渡ってきた弥生人によって討伐され、混血しながら、今の日本人というものができ上がっていったと考えるのが妥当だと思います。

そう考えたときに、現代の日本人が信じ込まされている日本の歴史は、決して日本人の目線で書かれたものではありません。後に侵略してきた大陸系の人たちが、自分たちの行いを正当化するために書かれたもの、という目線で見ることが大変に重要なのです。

天皇はどこから来たのか？

日本誕生神話というものがあります。それが『古事記』ですが、日本誕生の地といわれる出雲については、『古事記』とともに、『出雲国風土記《いずものくにふどき》』が参考にされることが多いようです。

日本の学校では、建国の歴史は教えてはいけないとされています。

アメリカでは、小学生から建国の歴史をたたき込まれ、アメリカ人が作られます。

日本人は、決して建国の歴史を知ってはなりません。支配者たちが奴隷（イエローモンキー）として日本人を扱うためです。

ではここで、エセ保守系の人たちが喜んで信じている建国神話を復習しましょう。

神々が生まれ出る高天原《たかまがはら》で、造化の三神が生まれ、その後に二柱の神が生まれ、この五柱は天津神《あまつかみ》と呼ばれました。

その後七代十神が生まれ、その最後がイザナギとイザナミです。この二柱の神が、日本の国土を造り、さまざまな神を生み出しました。

イザナミが死んでイザナギは黄泉《よみ》の国へ行きますが、帰ったときにさまざまな神が生まれ、最後に生まれたのが天照大神《あまてらすおおみかみ》、月読命《つくよみ》、素戔嗚尊《すさのおのみこと》の三貴子《みはしらのうずのみこ》です。

出雲の国は大国主命《おおくにぬしのみこと》が治めていました。しかし高天原をイザナギから任せられていた天照大神は、地上も自分たちで治めると主張します。

最終的にタケミカヅチが力比べでタケミナカタに勝利し、大国主命は地上を譲ります。

その地が出雲であり、地上を譲った代わりに建てられたのが出雲大社です。

そもそも神話というものは、世界中どこの神話を取っても、国が平和に譲られたという話はありません。神々は気が短くてキレやすく、権力争いをくり返します。

ギリシャ神話のゼウスも、ヘルメスも、親殺し子殺しと殺すのが大好きです。奪ったもの勝ちの世界観です。

結局、神話というのは侵略の話です。個人的には神話に出てくる神様は、侵略系宇宙人がモデルではないかと思っているくらいです。人間がその神の真似をして、今も侵略と支配をくり返しているのではと、私は妄想しているわけです。

話を出雲に戻すことにしましょう。

島根県人には申し訳ないのですが、なぜ日本の国の始まりが出雲なのでしょうか。なぜ、大和朝廷のあった京都や奈良ではないのでしょうか。

島根県は、現在の日本の中心地・東京からも離れています。考えられることは、島根の地政学的な意味合いです。島根は日本海側にあり、しかも大陸に近く、大陸から渡ってきやすい場所にあります。

日本の神話は、大陸文化や大陸からの侵略と結びつきやすくなっているのです。

私の妄想からいえば、日本創世の神話である古事記やイザナギ・イザナミ、天照大神の神話からして、そもそも縄文文明の頃から日本に住んでいた人々のための神話ではありません。

大陸から渡ってきた侵略者のための神話であり、侵略者の神格化でしかないのです。

神話や日本、世界の歴史とは、神や王族が好き放題、先住民や土着民を侵略して、支配したことを賛美したものです。


もう一つ、『古事記』の日本創生神話からいえば、最初に作られた土地は淡路島になっています。日本の始まりは出雲なのか、淡路島なのか、現代人は理解に苦しみます。

淡路島も地政学的な意味合いを考えてみると、黒潮に乗って太平洋側の海から渡ってきやすい場所にあります。

古来、淡路島はユダヤと関係が深い土地といわれるゆえんです。

「祇園《ぎおん》とシオン」（祇園という名称がイスラエルの聖地・シオンに由来しているという説）などという話は有名です。天皇家がユダヤと関係が深いという説もあることから、建国の神話は大陸の影響だけではなく、ユダヤの影響も受けている可能性があります。


神武天皇による日本建国の神話が伝わる、熊野も興味深い土地です。

こちらは、日本最古の英雄譚である「神武東征神話《じんむとうせいしんわ》」と『日本書紀』に記されています。

後の初代天皇である神武天皇になるカムヤマトイワレビコと3人の兄は、日本を統治するのに最適な土地を探しに、日向《ひゅうが》から東に向けて出発します。

現在の大阪府に当たる難波之碕《なにはのみさき》から上陸して、現在の奈良県橿原《かしはら》市に当たる大和へ向かいますが、一人の兄を失うなど、厳しい襲撃に遭います。

次に紀伊半島を回って熊野からの上陸を目指しますが、嵐に見舞われ、残りの2人の兄も失います。

そのときに現れたのが、神によって遣わされた八咫烏《やたがらす》です。八咫烏に導かれて、カムヤマトイワレビコは熊野から大和（橿原市）の地に辿り着き、めでたく初代天皇となり、このときから数えた暦が皇紀《こうき》となるわけです。

この橿原の地に建てられた橿原神宮は神武天皇を祀《まつ》っています。

本書の読者であれば、この神話は大陸からの侵略者が、もともと日本の土地に住んでいた原住民を征伐しながら建国に至ったストーリーである、という見立てができるのではないでしょうか。

侵略しに来たのだから、襲撃に遭って当然です。もっとはっきりいえば、神武天皇というのはそもそも日本人ではないわけです。

ここでの日本人の定義は、縄文人の血や思想を受け継ぐものと考えてよいと思います。

紀伊半島から吉野の地において、土蜘蛛《つちぐも》と呼ばれた蛮族がいたことが知られています。土蜘蛛は、大和朝廷から、凶暴、野蛮で、朝廷の命に従わない、天皇に対して恭順しない土着の豪族の総称だといわれています。

後に、征夷大将軍の坂上田村麻呂《さかのうえのたむらまろ》がアテルイを征伐したように、おそらく縄文人の血を色濃く繋いできた土着の民が集団を作り、リーダーとなる首長がまとめ役となって集団を守っていたと考えられます。

それはつまり、土蜘蛛が蛮族なのではなく、カムヤマトイワレビコと侵略してきた人々こそが蛮族だということを意味します。

しかし歴史では、支配者の都合によって侵略者は都合よく書き換えられるのが普通なのです。

土蜘蛛の首長には、女性の名前も複数記録されており、巫女的な役割で呪詛《じゅそ》を行っていたといわれています。邪馬台国の卑弥呼《ひみこ》も、おそらくそうした存在であったのではないか。とすれば、縄文時代について書いていたことと符合します。

おそらく土蜘蛛やアテルイのような人々は、縄文人の末裔だったのでしょう。スタジオジブリのアニメ映画『もののけ姫』のアシタカも、これと似たような種族だと思ってよいでしょう。

大和の歴史は弥生の歴史でもありますが、それは縄文人への虐殺と侵略の歴史でもあります。神武天皇をあがめることは、当時の日本の侵略者を崇めることになるわけです。

まあ、こんなことを書くと、日本のエセ保守や右翼が怒り出すのは目に見えてますが(笑)。

世界一古い王族という虚構

神武天皇のくだりで皇紀について触れましたが、エセ保守系の人たちならすぐに、今年が皇紀何年かは言えるはずです。言えなければ、エセ右翼といわれても仕方ありません。

現在、日本の建国記念の日は2月11日となっています。紀元前６６０年に神武天皇が即位して日本の建国が成立したとされ、これが後の日本の皇統の起源となることは先に述べました。

よって、令和６年現在は、２０２４年に６６０年を足して２６８４年になります。これをもってして、日本の皇室は世界で一番古い万世一系の王室であり、日本は世界で最も長く続いている国家である——というのが、エセ保守の人たちの誇るべき日本のアイデンティティとなっています。まさに大ウソつきの筆頭ですね（笑）。

そもそも、どうしてカレンダーなどなかった時代に、神話のなかに登場する神武天皇が即位した紀元前６６０年がわかったのでしょうか。

古来日本の暦は、「甲《こう》・乙《おつ》・丙《へい》・丁《てい》……」を表す十干《じっかん》と、「子《ね》・丑《うし》・寅《とら》・卯《う》・辰《たつ》……」を表す十二支《じゅうにし》を組み合わせた、十干十二支で表していました。両者を組み合わせた数字である60が、一つの周期になります。

60歳を「還暦」と称するのは、60年という周期が一度巡るという意味です。

もちろん、この十干十二支は中国から来たもので、干支が一周する60年が21回まわり、掛け算して１２６０年（60×21）の辛酉《かのととり》の年廻りに国家的な革命が行われるという考え方があります。

よって、西暦601年の辛酉年から1260年遡《さかのぼ》った紀元前660年が辛酉年となり、その年に国家的な革命が行われた、つまり、日本という国が神武天皇によって建国されたというわけです。

この辛酉年革命説は、漢の時代に生まれた儒教の考え方をまとめた書物『緯書《いしょ》』で唱えられた予言「讖緯説《しんいせつ》」に由来するとされています。

出雲の神話が、実は大陸からの侵略者の物語なのではないかという推測は先に述べました。同じく侵略者であるカムヤマトイワレビコの即位した年が、中国由来の計算法から導かれるというのはどういう意味なのでしょうか。

それは、侵略者が外国人であることと、当然、関係しています。そもそもの日本ではなく、大陸からの侵略を賛美するためなのです。

にもかかわらず、エセ保守の自称愛国者という売国的な人たちは、現代社会においては反中反韓をうたいながら、原初の大陸侵略を賛美するという、最凶最悪のダブルスタンダードを重ねていることになります。

まあ、エセ保守や右翼といえばコンプレックスの塊でしかなく、正義心と支配欲、奴隷根性しかありませんので、古来の侵略を賛美するのはしょうがないのかもしれません(笑)。

この皇紀が、直接的には明治維新以後から採用されているのを忘れてはいけません。先ほど述べたように、明治維新自体が外国に日本を売り渡した運動のようなものです。そして、それが起こったのは現人神信仰を徹底しようとした時代です。

いかに天皇家が古くて歴史と伝統があるかというウソと、その天皇を中心とした国家は国民の総力によって守られるべきという考え方が、愚かな奴隷マインドなのかをおわかりになるでしょうか。

つまりエセ保守や右翼がハマりそうな、明治維新の賛美も、現人神信仰も、明治から始まった靖国神社崇拝なども、愛国のそぶりをしながら外国侵略を喜んで賛美しているという、究極的に滑稽な茶番なのです。

これでは日本に希望など微塵もなく、2025年に日本がなくなるのは当然であるといえるでしょう。

蘇我《そが》氏や物部《もののべ》氏、大伴《おおとも》氏などの古い豪族も、朝鮮半島から渡ってきた人々です。

蘇我氏は朝鮮の新羅の系列で、後の藤原鎌足《かまたり》となる中臣《なかとみの》鎌足や中大兄皇子《なかのおおえのおうじ》は百済の系列です。

中大兄皇子は668年に天智天皇として即位しますが、これに関係するのが663年に朝鮮半島で行われた白村江《はくすきのえ》の戦いです。

660年に百済が唐・新羅連合軍に滅ぼされ、中大兄皇子は百済系のため、当時の唐にケンカを売ったのがこの戦いなのです。

こうして百済支援の天智派が後世の南朝側となり、新羅・唐派の天武派が後世の北朝側となりました。南北朝の権力争いが戦国時代、明治維新を通じてくり返されてきたのです。

常に皇族・貴族は対立と権力闘争しか考えてなく、平和も国民の安寧も考えていません。

天皇家はそもそも世界で一番古い王族であるかのように振る舞っていますが、さまざまな豪族の血を受け継いだ王＝天皇が日本でも入れ替わっているのです。

中国では、王朝は秦《しん》から漢《かん》に変わったり、隋《ずい》から唐に変わったりします。ヨーロッパでは王朝が変わっても血は残り、親戚であること、血族の簒奪《さんだつ》であることもあるわけですが、日本にだけはそのルールはなぜか適応されません。

北朝から南朝に替わるのは王朝が変わるようなもので、ずっと続いている王朝と言い張るのならば中国やヨーロッパの王族も、同様に計算しないと矛盾します。

つまりこれも侵略者や支配者と、それに従属したコンプレックスまみれのエセ保守の奴隷たちが、自分たちはスゴイんだぞと歴史を捏造したいのにすぎません。

明治維新は南朝と手を組んだ欧州財閥の日本支配の完成です。明治天皇すり替え説からもわかるように、天皇家は北朝から南朝の血筋に変わった節目でもあります。

維新だの龍馬だのといって、尊王志士を英雄のように持ち上げる歴史も作られたもの。

こういう話をすれば、ヒステリックに必ず反応してくるのがエセ保守＝勘違い愛国と呼ばれる人たちなわけです。

現在の政治家の多くは、実際のところ日本にルーツを持っていない人も多いようです。自民党だけではなく、公明党も、そのほかの政党もそれは同じです。緊急事態事項やパンデミック条約をはじめとする憲法や法律の改正、移民政策に少子化を促すような政策、医療費の増加に加えてくり返される増税と、すべて日本を破壊する工作を行っています。

保守派の英雄である売国奴の筆頭・安倍元総理大臣も、未だに国民から強く復活を望まれている売国奴の対抗馬・小泉純一郎元総理大臣も、そのほか多くの総理大臣も、どんなルーツを持っているのかさえ考えたことがないのです。日本国民は、みな、売国奴しか応援しないのだからお笑いですね。

支配者に利用される仏教や神道

ここで、日本の宗教の歴史にも触れておきましょう。

日本人は無宗教だという刷り込みがありますが、日本全国にある神社仏閣の数は15万8000カ所以上、そのうち神社が8万8000社以上あるという意味を考えてください。

コンビニの店舗数が約5万7000といわれているので、その数の多さに驚く人もいるでしょう。

古代では縄文人は自然と共にあり、自然崇拝、自然への畏敬の念を持っていたと考えられています。

彼らはいわゆるアニミズムに近い信仰を持っていたのでしょう。アニミズムは、人間、動植物はもちろん、鉱物など無機物も含めて、すべての物に魂が宿っているという考え方です。日本では「八百万の神」という言い方もします。

富士山が御神体になっている神社があったり、磐座《いわくら》が祀られている神社があったり、地球の経絡《けいらく》ともいえる龍脈《りゅうみゃく》が存在すると考えられていたりと、大いなる自然に魂が宿っていて、縄文人、もしくはそれ以前の人類も、地球そのものへの信仰があったりしたのでしょう。

神社といえば、鳥居やしめ縄がそのシンボルとなっています。実は鳥居もしめ縄も、中国から朝鮮半島を経てやってきた渡来系の弥生人が用いていました。

やがて、土地を制覇した侵略者たちが呪いや復活を恐れ、鎮魂、怨霊《おんりょう》を封じ込める場として、古代から縄文人が大切にしていたいわゆるパワースポットを利用するようになりました。後に、弱者（支配される側）が強者（支配する側）のご利益にあやかる場にもなっていきます。

本来古神道は、教祖も教典もないことからわかるように、古代の縄文人が当たり前のように持っていた自然への畏敬の念から自然発生した民族的宗教です。

宗教というよりも、信仰といったほうがしっくりくるかもしれません。

「お天道様が見ている」といって、公正であろうと努めるように、日本人の間に脈々と受け継がれてきた生活態度や理念が、古神道《こしんとう》のベースにあるといえます。

これは神道に限らずどの宗教にもいえますが、そもそも宗教は管理するものにとって都合のよいように利用されてきました。

仏教は6世紀半ば、百済の聖明王《せいめいおう》から伝来されたといわれています。しかし実際には、それ以前から、続々と日本に上陸してきた渡来系帰化人が、自分たちの氏族内の私的な信仰として信奉していました。

仏教をめぐっては、蘇我氏と物部氏の争いが有名ですが、どちらも朝鮮半島から渡ってきた人たちなので、彼らの権力闘争だったことに変わりはありません。

仏教を保護したという聖徳太子も、実は政治的な権力はほとんどなく、そもそも作られた偶像ではないかという説もあります。


奈良時代から平安時代にかけて「神仏習合」が行われ、明治新政府の神道国家政策によって行われた仏教排斥運動である「廃仏毀釈《はいぶつきしゃく》」が行われるまで、神道と仏教は密接に結びついていました。

現人神信仰と神道が結びついていたわけですが、このやり方は支配者が宗教を利用していたという、第2章に書いたやり方と変わりません。

廃仏毀釈の名残として、今でも寺のなかに鳥居があったり、神社と寺が隣接したりしているところも多く見られます。神社と寺の境目がなく、曖昧なまま、どちらかを排除したり優劣を決めたりするわけでもなく、和合の精神で神仏習合が行われていたのは、お花畑縄文精神の名残りなのかもしれません。

仏教の檀家《だんか》制度は、江戸時代から始まりました。これはキリシタンを摘発するため、キリスト教徒ではないという証明のためといわれています。

実質は幕府が寺に戸籍を管理させるために設けたものです。今でいう役所のような役割を寺が担っていたわけです。

すべての人は寺の檀家になるという仕組みによって、幕府から優遇された寺は葬式や法事を取り仕切ってお布施をもらって潤います。企業努力などしなくてもよいのですから、仏教界がこれにより腐っていくのも当然です。

幕府の支配下で、仏教は民衆を支配する道具に成り下がり、江戸時代、いわゆる「葬式仏教」が確立されました。


このように権力者によって利用されてきた仏教でしたが、明治新政府の廃仏毀釈によって、今度は徹底的に破壊されました。

江戸時代に9万カ寺あった寺が、半分の4万5000カ寺になったといわれています。なかでも鹿児島での廃仏毀釈は熾烈を極め、県内すべての寺が焼き払われ、消滅しました。

鹿児島といえば薩摩藩。薩摩長州の下級武士たちが、徳川幕府を倒すために天皇を利用し、尊皇攘夷《そんのうじょうい》という大義名分を正当化するために国家神道を祭り上げたのです。

こうしていかにもお花畑日本人らしい境界線の曖昧な、神仏習合の和合の精神が破壊され、廃仏毀釈による神道の強権化が明治新政府によってなされました。

明治政府は天皇を神の末裔《まつえい》として現人神に仕立て上げ、国民に刷り込む必要がありました。

そのために創設されたのが、キリスト教母体集団である大日本皇道立教会であり、そのなかにいたのが、政財界の黒幕と呼ばれた児玉誉士夫や創価学会創立者の牧口常三郎です。

神道政治連盟の国会議員懇談会元会長が、安倍晋三であることもご承知おきいただきたいところです。

政治と神道といえば、必ず出てくるのが靖国神社でしょう。

靖国神社はもともと日本の神社ではなく、起源は明治2年の東京招魂社《しょうこんしゃ》です。

招魂とは朝鮮でよく行われる儀式となっていますが、歴史から考えたら当然です。建前としては明治天皇が戊辰戦争の犠牲者を鎮魂するためとなっていますが、靖国神社に祀られているのは尊皇攘夷の明治政府側で、幕府側の犠牲者はどうでもいいのです。

特攻隊の手紙などの展示は、ヒーロー化したい人間の依存精神と、人の善意を利用して、国民をコントロールするためのものにすぎません。

だいたい売国奴の筆頭で竹中平蔵と組んだ小泉純一郎が、総理大臣としてかたくなに靖国参拝を行いましたが、だれも意図を把握していないのは絶望的です。

素人目に見ても、靖国神社と街宣右翼、靖国神社と軍国主義など、愛国とは名ばかりの支配欲だけです。

靖国神社のいびつさについては、さまざまな著書が出版されています。興味のある人は読んでみるといいでしょう。

日本を滅亡へ導く近代4大転換期

ここまで日本の歴史を振り返ってきましたが、あらためて読者の皆さんに聞きたいことがあります。

学校で行われた日本史の授業で、近代史についてどれだけの時間を費やしたのかを覚えているでしょうか。

日本史といえば邪馬台国のくだりから始まり、大和朝廷、奈良平安時代を経て鎌倉・室町・戦国時代、江戸時代、明治維新くらいで学期が終わって、近現代史がごっそり抜け落ちていませんか。

だから日本人は近現代史に興味を持てないのです。大河ドラマでも、いつも決まった時代とヒーローが配役を変えてくり返し流されています。

邪馬台国などの古代史、源氏物語などの平安絵巻、戦国武将の下剋上物語、忠臣蔵などの忠誠物語、下級武士が活躍する尊皇攘夷の明治維新と、支配者に都合のよい派手なストーリーに人々の目を向けさせようと誘導します。

彼らの支配がうまく回り、奴隷国家・日本が建設されたのがわかる近現代史には、人々の興味を向けさせません。教育やマスコミを通じたこの取り組みが、長年行われてきたのです。

近現代史が教えられたとしても、いきなり大東亜戦争による敗戦の反省をさせられます。また、真珠湾攻撃の復讐をされて当然という論法で、広島・長崎の原爆投下が未だに国際社会で正当化されているということに異を唱えることは許されません。

自民党がＣＩＡによって作られた米国の手先であり、アメリカによる売国傀儡政権としての役目をきっちりと果たしていることなど、国民に知られてはいけないのです。

私は、**日本を完全滅亡に導く4大転換期**として以下を挙げています。

①戦国時代から江戸時代初期
②明治維新
③大東亜戦争と占領
④新型コロナ茶番と2025年

①では、諸外国を洗脳・支配をする工作員の筆頭に宣教師を持ってきて、裏で奴隷売買を行っていました。しかし、伴天連《ばてれん》追放令や鎖国によって、すんでのところで日本が外国支配の魔の手から逃れることができたのです。
天草四郎の逸話や踏み絵の話はウソばかりなので、ご自分でも調べてください。
②の明治維新が、王族貴族の復興と奴隷システムの再編であり、本格的な欧米支配の歴

史の始まりであることは何度も述べてきました。

支配体系の完全確立が行われたのが、近現代史にまつわる大東亜戦争とその後の米国による占領だと考えられます。

それでは、学校では習わない近現代史を復習していきましょう。


明治に入り、日露戦争から昭和の大東亜戦争まで、日本は軍国主義へと進んで行きました。軍国主義で利用されたのが天皇制です。

江戸時代に公家の取り分を入れても10万石に押し込められていた天皇家が、日本最大の資産家になったのは、天皇財閥が形成されて徹底的にカネ儲けと蓄財に走ったからです。

明治天皇すり替え説もありますが、その真実は内部の人間にしかわからないでしょう。

財閥といえば、三菱、三井、住友に加えて安田が加わって四大財閥がありますが、その当時は天皇財閥のほうが上だったのです。


三菱は、土佐の下級武士であった岩崎弥太郎が礎を築きました。岩崎弥太郎は坂本龍馬と友人であったことでも知られています。

フリーメーソンから派遣されたグラバーと組んで、三菱商会は海運業を独占。南朝系の明治天皇一族と日本初の船舶会社である日本郵船を創立し、軍需産業と売春業で巨大化します。

三菱はご存じの通り、モルガン・スタンレーと深い関わりがあります。支配者たちにとって手を組むのに都合がよかったのではないかと思われます。

三井財閥と住友財閥は、非常に古い歴史を持ちます。

三井高利が、伊勢国・松坂から江戸へ出て呉服屋を出店したのが三井家事業の始まりで、両替商も行うようになりました。1930年末には、「世界の七つの海に三井の船が浮かばぬ日はない」とまで評されるようになりました。

住友家の先祖は平家一門といわれ、白水会に代表される血判主義が有名です。

住友家は業祖から数えても430年近い歴史があり、銅は重要な産業でしたが、三井と同じく両替商も営んでいました。

このような歴史的な背景を知っていると、下級武士の流れである三菱は外国支配者と組み、北朝の流れを汲む三井と住友が組んで保険業界や金融業界に君臨している意味がわかります。

四大財閥の最後は安田財閥ですが、金融部門の絶対的な優位性を持つことから「金融財閥」とも呼ばれています。

創設者は安田善次郎で、20歳で奉公人として上京し、26歳で露天の両替商を始め、幕府の御用両替を行って利益を得ました。

このように戦前の日本経済は財閥が支配しましたが、戦後財閥はGHQに解体され、多くは没落したといわれつつも、形を変えて存在し続けています。

しかし、この四大財閥よりはるかに大きかったといわれるのが天皇財閥です。

SNSI（副島国家戦略研究所研究員）である吉田祐二氏の著作『天皇財閥』（学研プラス刊）によると、天皇財閥は四大財閥の10倍もの規模があったと書かれています。

天皇財閥は日本銀行、横浜正金銀行、朝鮮銀行、台湾銀行、南満州鉄道、日本郵船、東京電燈、帝国ホテルなどを保有していました。

『ラスト・エンペラー』の著者として知られるジャーナリストのエドワード・ベアは、「天皇一族は金銭ギャングである」と自身の著書で述べています。

大東亜戦争を画策し暗躍したのが、ブッシュ家が経営するハリマン銀行の社長エイブリル・ハルマンです。

日本との開戦論をあおった悪名高い「ハル・ノート」の起草者コーデル・ハル国務長官もまた、ブッシュ家の顧問弁護士でした。

商船三井の共同経営者は、天皇家とCIAの日本作戦部長マクスウェル・クライマンで、天皇家が大東亜戦争時に蓄積したカネは、ナチスのヒトラーの口座に隠されていました。

天皇が海外に逃した蓄財は当時の累計で5～10億ドルにのぼるとされています。兆より上の京レベルだと指摘する人もいるほどです。

これらを考えても、大東亜戦争が「アジアの植民地解放闘争」であり、「正義の戦争」というよりも、海外の財閥が意図して日本を落とすためにしかけた戦争であり、日本の一部の王族・貴族が自分たちの利益を高めるために計画した戦争でもありました。天皇は広島へ原爆投下について、「やむ得ないことと私は思ってます」と発言したことも知られています。

真珠湾攻撃では実はアメリカは、当時日本が奇襲をしかけることを知っていました。アメリカは戦争ビジネスをしたい人々のために、知らないふりをして戦争を誘導したのです。

広島・長崎の原爆投下は、アメリカ兵の犠牲をこれ以上失わないためという論法で、国際社会では正当化されていきました。

ときの大統領ルーズベルトが残した「戦争を作るのだ」という言葉や、「世界的な事件は偶然に起こることは決してない。そうなるように前もって仕向けられていたと、私はあなたと賭けてもいい」という言葉は有名です。

日本は戦えるような状態ではないのに戦争を長期化させました。その理由は、右翼的な軍事思想や奴隷的思想に国民がハマっていたのと、天皇やその周囲の貴族の意図であり、傀儡政治家たちの意図でもありました。

日本は1945年3月に和平協定を申し入れますが却下されます。この時点で負けを認めていたにも関わらず、優生学的な虐殺目的で、アメリカは原爆投下を2度も行ったのです。イエローモンキーはこの世から消滅させなければいけなかったのです。

こうして、予定通り大東亜戦争に負けた日本は、GHQに支配され、完全滅亡への具体的な計画が国内で着々と進められていきました。

戦後GHQの支配は自民党政権によって受け継がれ、日本人をルーツとしない政治家たちによって傀儡政権が作られていきます。電通や大手マスコミ、共産主義者、日教組などの連携で、見事な奴隷国家が誕生したわけです。

2025年、日本滅亡の立役者として挙げられるのが、小泉純一郎であり、竹中平蔵であり、安倍晋三です。保守の仮面を被った自民党が最も売国奴であることは、やったことを見れば一目瞭然です。

小泉純一郎は、「自民党をぶっ壊す」という言葉で人気が出た政治家です。実は、彼が謀っていたのは「日本をぶっ壊す」ことでした。

郵政民営化をはじめ、道路公団民営化、政策金融機関の再編、独立行政法人の再編と民営化など、規制緩和の名のもとに、竹中平蔵と一緒に構造改革という名の日本破壊を行いました。

外資系大企業や金融資本を優先し、それらにどんどん利益が流れ、日本を貧困化へと導きます。その功績は正社員の激減、ＧＤＰがドイツに抜かれて世界4位に低下したことで証明されるでしょう。

そもそも小泉の父親・純也は鹿児島の高麗町《こうらいちょう》出身です。祖父・又次郎は全身に刺青の入った横浜の一大ヤクザの元組長で、逓信大臣となりましたが、純也はその娘と駆け落ちをしたという話があります。

その息子の進次郎は、ポエム作成に熱心と評判で、利用したい金融資本家やアメリカからも最近は見放されていますが、相変わらず日本の有権者には人気があります。今や、日本人の愚民度を知るバロメーターといえるでしょう。

小泉と手を組んだのが、売国奴として名を売った竹中平蔵です。

経済学者という肩書きですが、学者と名の付く者にろくな人はいません。奴隷を管理する役割を見事に果たし、あらゆる手段を使って、金融資本や海外投資家たちに日本を献上し続けています。

そして、日本衰退を決定づけたのが、エセ保守から崇めたてまつられる安倍晋三です。旧統一教会との関わりは以前から指摘されていましたが、なぜ保守第一政党の自民党が、韓国の宗教である旧統一教会と太いパイプを持っているのかを考えなければなりません。

安倍晋三が山口組の金庫番といわれる韓国人男性と親しくしていたり、在日観光商工会議所とも親しかったりしたのは有名な話です。

安倍晋三の祖父である岸信介（公文書でＣＩＡのスパイと判明している）や、父の安倍晋太郎も、旧統一教会と親密な関係であったことは知られています。

安倍のルーツもまた、山口県長州出身であることを考えれば、なんの不思議もありません。

そして、長期政権化しつつある総理大臣の岸田文雄も、売国奴度数はかなり高いといえるでしょう。

岸田は安倍や小泉たちの清和会派閥とは異なる宏池会ですが、宏池会はアメリカにも中国にも媚を売り、とにかく外国にカネをばらまいて自分の権力を維持することしか頭にないのがやっかいです。

「増税メガネ」の愛称で知られますが、日本人の税金を海外にばらまいて、絶対に自国民には還元せず、忠実に金融資本や中国利権の犬となることしか考えていません。

この20年の政治家でいえば、小泉、安倍、岸田が売国奴三強になるでしょう。

これら日本の心を微塵も持っていない詐欺的政治家たちは、いわばただの傀儡であり、自民党は結党時からずっとアメリカの奴隷であり続けました。

アメリカの日本奴隷化は、戦後のアメリカ占領時から着々と準備がなされ、自民党が結党して70年が経とうとしていますが、今や完全に完成しました。

完全な奴隷国家が完成したところで、④の新型コロナの茶番によって、めでたく国民の8割がコロナワクチンを接種して、2025年にはこの国は終焉を迎えることになります。

世界で唯一日本人だけが持つ思想

希望の書であるにも関わらず、やはり絶望しかない国・日本ですが、ここで希望を持てるような日本人の思想についても触れてみましょう。

世界で活躍する日本人スポーツ選手とはだれか。

野球でいえばイチロー選手や大谷翔平選手、アイススケートの羽生結弦選手や浅田真央選手、ボクシングの井上尚弥選手など。世界の頂点に立つ日本人スポーツ選手は大勢います。彼らに共通するのは奢《おご》りがないことです。

チャンピオンになっても、だれも成し得ない金字塔を立てても、彼らの姿勢は謙虚です。

自分はまだまだだからもっと修行、もっと努力が必要で、弱いから強くならなくてはという思考が、その姿勢を作っています。

海外のプロスポーツ選手の多くが、自分の強さに自信があり、強固な肉体をひけらかし、いかに自分が強いかを外に向けてアピールするのが上手です。

努力をする原動力は、数字を残して目的を達成したいとか、有名になりたいとか、お金持ちになりたいとか、女性にモテたいとか、いわゆるハングリー精神という名の欲望にかられた衝動です。

なので、ある一定の地位に上り詰めて、欲しいものをほとんど手にしたら、あとは手を抜いて楽をしようという発想になりがちです。


超一流の日本人スポーツ選手の思想は、どこから来ているのか。それは根源的な日本人思想から来ています。

縄文人の思想といってもいいかもしれませんが、中世にもそれに類する精神性がありました。代表は「武士道精神」になるでしょう。

武士道の精神性では、誇りや矜持《きょうじ》を重んじること。調子に乗ることなく、修行して自分を高めることが求められます。

縄文人にも、お天道様が見てる思想と同じで、自らの矮小さを知り謙虚に生き、国土から得られるものに感謝しようという精神性があります。

これらはある種、自罰的で、自分はダメなのでもっとがんばらねばならぬという考えがあります。この自虐的、自罰的発想は、世界広しといえども、日本人独自だと思います。

この地道にがんばり続ける思考によって、スポーツ界で金字塔を立てたり、工業などの物作りの分野でイノベーションを起こしたりしてきたのです。

この延長線上で考えるべき思想が「自虐史観」（大東亜戦争後の日本の社会や歴史学界、教育界における特定の歴史観を批判・否定的に評価する考え方）です。

陰謀論者や自称愛国の売国奴たちは、自虐史観はアメリカや中韓が押し付けた思想であり、日本人を貶《おとし》める思想だと吹聴していますが、そんな安易なものではありません。

そもそも自虐史観を改めようというのであれば、建国の初期や皇族貴族支配による奴隷システムから改める必要があります。それなくして、日本のすばらしさもへったくれもありません。

縄文文明には、支配者による奴隷システムなどはなかったのです。

結局エセ右翼が日本を賛美するのは、日本のためを思っているという詐欺話法で人気を得ようとしたり、日本はすごい（＝俺さまもすごい）という隠れコンプレックスを解消するための、醜い深層心理を体現しているのにすぎません。

つまり日本賛美論を振りかざしている人間は、単なる売国奴なのです。

そもそも今の日本の現実や歴史の闇を見れば、簡単な日本賛美などできません。

そこで自虐史観や自分へのコンプレックス、自信のなさを持っているあなたに私はいいたい。

日本人が自虐史観や自信のなさ、潜在的な罪悪感のようなものを持っているのはむしろ「当然」です。それを卑下する必要などありません。

日本人の気質は、もともと自分をダメと思う気質であり、その思想を自らの修行や努力によって変えることができる唯一の民族なのです。

問題はこの自らの修行や努力をさせないように、画一化し、単純化し、聞こえのよいことだけ振りまいてきた戦後アメリカ型の教育にあります。

日本人が、自らを卑下することは悪いことではないと受け入れ、現実を直視する能力を取り戻し、ダメな自分たちを反転するために修行し、努力し、達成することを思い出せば、それは今後の日本にとってこのうえない希望となるでしょう。

それを邪魔するエセ右翼、自称愛国者がこの国にのさばっているから、やはり希望はないということになってしまうのです。

第4章

心理学は世界最凶・最悪な学問

支配、差別、虐殺が目的の精神医学

希望や絶望を扱うときに、心も扱うべきだと先に述べました。

心の学問というと、心理学のことだと思う人が大半でしょう。

あなたは、心理学がどんな学問かを知っていますか？

精神医学＝薬漬け医学や電気ショック脳科学はよくないが、心理学はよいものだと思っている人もいることでしょう。


『広辞苑』によると心理学は、「人の心の働き、もしくは人や動物の行動を研究する学問」とあります。


心理学について、先に私の答えを述べましょう。

「心がなんであるかや、心の法則の探求は一切せず、人を動物のように分類し、貴族や王族が奴隷をどう支配し、コントロールするかを追求してきた学問」

はっきりいえば、心理学は世界最凶・最悪な学問です。

私は精神療法の専門家であり、精神学や思想学の専門家でもあります。精神科の問題を長く扱ってきたので、心理学の現状と歴史的な裏側を研究してきました。

心理学は人の心がどのような本質を持っているかよりも、どうやって人をカテゴライズし、どのようにコントロールするかを研究する学問です。だから、例えば「条件反射」などを研究してきたのです。

精神医学のように薬を使うことはありませんが、まったく同じ考え方で広められてきたもの。「心理学＝精神医学」といえるでしょう。

ドイツ心理学の祖といわれた偽学者ヴィルヘルム・ヴントは、心理学は経験科学であると述べました。

ヴントは人間の行動を解明する試みとして、カエルや犬、そのほかの動物の神経系を研究し、その結論として精神と肉体は別物と捉えました。

いわゆる唯物論者の象徴のような人間であり、その唯物論者が自称「心の専門家」といっているのだから、もはやコントでしかありません。

彼は1879年ライプチヒでの講演で、「魂について研究するのはエネルギーの無駄な話である。人間は（下等な）動物以外の何者でもない」と発表し、実験心理学を打ち立てました。

ヴントは、人間に魂はないという思想を持ち、形而上学や哲学的な考察を否定し、人の心を単純な実験対象としました。

この考え方は、優生学や精神医学を含む現代医学の安直な精神の理解に通じています。歴史的には、ヒトラーやナチス・ドイツの考えにもつながっていきます。


パブロフは有名な心理学者で、条件反射の研究として犬の実験が有名です。しかしこの犬の実験がウソまみれだったということはあまり知られていません。

俗説としては、エサをあげる前に音を鳴らすと、犬は条件反射でよだれを垂らすという現象を証明したとされています。思想の根底には、音を鳴らすことで動物を思い通りにコントロールできるというのがあります。

実はこの実験では、犬はよだれを垂らすも垂らさぬもなかったのです。パブロフとその弟子たちは犬の実験をするとき、犬のほおをくり抜いて観察しました（左ページ上の写真）。よだれの状態が知りたいというのが、その理由です。

Sovfoto/Ivan p, pavlov watching an experiment with a dog, summer 1934./getty images

実験台の犬を見つめるパブロフ博士(手前の男性)。
犬の頬の部分がくり抜かれていることがわかる

音を鳴らしてエサを出したとき、くり抜いたほおを見てよだれが出ているかどうかを観察したのです。しかしくり抜いた口内を見ているので、唾液はあるに決まっています。それを条件反射でよだれを垂らしたと、都合よく解釈したのです。

この実験には、さらに小ネタがあります。実験は犬30頭を集めて行われました。音を鳴らしてエサを出し、その後ほおを観察しながら首輪を外し、犬たちがエサに群がることを実験者たちは期待しました。

しかし残念ながら、30頭中28頭はエサに飛びつくことはなく、実験者たちにかみつきました。犬たちはほおをくり抜かれて怒っているのだから当然です。

今の人たちをだますことなど簡単です。もっともらしい言葉で内容を取り繕えば、この実験のように真実はだれにもわかりません。

精神医学の分野には、ロボトミーという手術がありました。

2匹のチンパンジーの脳内にある前頭葉を切除したところ、性格が穏やかになったという勝手な解釈（実際は脳障害で何もできなくなっただけ）をもとに、1935年にポルトガル・リスボンの精神科教授であるエガス・モニスが、人間の前頭葉を切除する手術を最初に行いました。

モニスはこれを「ロイコトミー」と呼び、次々と患者に行ったのです。その後、ロイコトミー手術を受けた患者たちは再発や発作に見舞われ、その多くが死亡したことが明らかになりました。

39年には、モニス自身がロイコトミーを施した患者によって銃で撃たれて麻痺状態になっています。モニスは精神科手術の発見により、49年にノーベル賞を受賞していますが、その6年後に別の患者に襲われて殺害されました。

モニスと同時代である36年、米国の精神科医ウォルター・フリーマンは、患者の眼窩骨《がんかこつ》の下からアイスピックを差し込んで脳を破壊する手術を、「ロボトミー」と名付けました。

フリーマンはロボトミーを施術した患者の25％が「肢体《したい》不自由者やペットと同じレベルに調整することができた」と書いています。

ロボトミーは世界全体で約11万人が施術されたと見積もられ、その25％以上が植物状態になったと考えられています。

ロイコトミーやロボトミーからわかる精神医学の根本的な目的は、人の精神や心を改善させたり、人の心を癒やしたり、何かの問題を解決したりするものではありません。脳を破壊し、人間を廃人にすることです。

これを心理学的な治療とするならば、人間を動物以下に扱い、貴族が奴隷を扱うようにコントロールすることになります。両者は同根のものだと理解しなければなりません。

精神医学の世界では、この2つの手術が特別例ではありません。

精神医学の診断や治療は、本当の正体を隠しながら、その時代の風潮に合わせて基本的なコンセプトは変わらずに進んでいます。

近年の風潮は向精神薬で思考を麻痺させたり、自殺願望を呼び起こさせたりすること。

そして、もう一つは電気ショック療法でしょうか。

電気ショック療法は、ロボトミーの系譜を受け継いでいます。


それでも、心理学は違うと思う人もいるでしょう。

心理学のカウンセリングの手法には、「傾聴」「受容」「共感」というものがあります。傾聴は相手の話をよく聞き、理解を示すこと。受容は文字通り受け入れること。共感は相手の気持ちに自分を同調させることです。

一見よいものに思われるこの手法ですが、表面的に相手の欲求を満たすだけの行為で、問題の本質的な解決には何も役立たないものです。

例えば、落ち込んだ人が話を聞いてもらうことでその瞬間は気分が晴れても、落ち込む原因は何も解決せず、結局は落ち込んだままです。

これでは、向精神薬という麻薬で感情をマヒさせていることと同じです。


つまり心理学的カウンセリングの真なる目的とは、問題の本質を理解させなくして目先の気分をよくすること。さらに、同意のふりをすることで詐欺師のように相手をコントロールし、気付かぬうちに相手を依存させることにあります。

精神科の薬漬けが問題の本質を理解させなくし、麻薬や覚せい剤の作用で目先の症状だけをごまかし、気づかぬうちに依存させることと同義です。

また、心理学と精神医学では、すべての人間の行動や感情、思考や感覚は、脳によって物理的レベルで決定されるもの。生命とは、化学物質を混ぜてでき上がったものに過ぎないとしています。現代に至るまで、魂や心は存在しないという考えを支持しています。

世界精神保健連盟（ＷＦＭＨ）という１９４８年に創設された世界規模の精神医学団体があります。この元会長であるブロック・チショルムは、精神医学の目的を唱えた「七大大綱」として、次のように宣言しています。

①憲法破壊
②国境の破壊
③簡単にだれをも拘束する
④拷問、殺人の権利
⑤すべての宗教の撤廃

⑥性道徳の破壊（フリーセックスの勧め）
⑦学校での薬物常用によって未来のリーダーを奪う

ここから見えてくる精神医学の目的は、支配、差別、虐待、迫害、監禁、廃人化、殺人などに代表される行為です。

根本にある精神医学の価値観は、自分たちにとって都合の悪い人間を痛めつけたり、殺したりしても問題ないというものです。

貴族や王族、陰謀論でいう支配者のために作られた学問、それが心理学や精神医学であることがわかります。

心理学は精神医学の思想体現なのですから、心や精神を扱う学問でないことが、よくおわかりいただけるでしょう。

優生学から心理学は誕生した

「医は仁術でなく、もともと殺人術である」――これまでも講演などで、私は何度もこう言ってきました。

これは先に述べた精神医学に限ったことではありません。歴史的に考えれば、医学は人を殺すために開発され、吟味されてきたものです。人を迫害し、監禁し、奴隷化することを考えてきた学問です。

ちょっと陰謀論をかじると、医学は仁術から算術に成り下がり、利権まみれになってしまったと考えがちですが、残念ながらそれでは検討がまったく足りません。


私が拙著『医学不要論』（廣済堂新書刊）で、必要であると述べた救命医学でさえも、もとをたどれば貴族や王族の戦争の道具である戦士の傷を治し、再度、戦場に向かわせるために実践されてきたものです。

世界の歴史、特に東洋医学の歴史や王族の歴史をひも解けば、薬学や医学は最初は暗殺目的で研究、実践されました。薬師は暗殺薬を見抜く毒見役として存在したのです。

薬剤は女性をはべらかす媚薬《びやく》的なものとして用いられることもあり、当初、貧民は薬草など手に入れることもできませんでした。

これを効果的に応用すると、貴族や王族の病気に効くかもしれないということで、今でいう医学への流れができたのです。

そしてすべての医学の歴史を考えるときに、決して避けて通ることができないものに優生学があります。「医学＝優生学」であり、「心理学＝優生学」ということができます。


それでは優生学とはなんでしょうか。

優生学（eugenics）は、「eu：よい」と「genics：種《たね》」の2つの単語が組み合わされたもので、「よい種を増やして悪い種を減らす」という意味が込められています。

優生思想そのものは、優生学が学問として確立される前から存在します。いわゆる口減らしのような、残すのにふさわしくない子孫を残さない「消極的優生思想」と、子孫を残すのにふさわしいと見なされたものだけが交わって、子孫を残そうとする「積極的優生思想」の2つがあります。

古代ギリシャのプラトンが、理想社会の支配者は望ましい男女が交合するように手配すべきと考えたように、ギリシャ文明で優生思想が確立されたと考えることができるでしょう。

優生思想は18世紀以降のヨーロッパで優生学として結実します。

イギリスの経済学者マルサスは、1798年の著書『人口論』において、人口増加が貧困の要因となると論じ、人口抑制説を説き、戦争、貧困、飢饉は人口抑制のためによい、としました。

進化論で有名なチャールズ・ダーウィンは、著書『種の起源』において、マルサスの『人口論』から着想した「過剰繁殖・種内競争・優勝劣敗」という弱肉強食の市場原理を説いています。

実際に優生学を確立させたのは、ダーウィンのいとこであるイギリスのフラシス・ゴルドンです。

ゴルドンは家畜の品種改良と同じように、人間も人為選択を適用すればよりよい社会ができると論じました。1883年に、彼が「人間の優良な血統を増やすことを研究する科学」と定義したことにより、優生学は始まったのです。

また、「生存に適していない人間は、生まれてこないほうがその人にとって幸せである」と考え、上流階級同士の結婚を推奨しました。

その後ダーウィニズムや遺伝決定論が横行し、ナチス・ドイツやヒトラーの思想に繋がっていきます。

こうした背景を持つ優生学の根幹は、以下になります。

・私たち優秀な民族が生き残るうえで、愚民たちは邪魔だ
・愚民たちは家畜と同じであり、殺処分しなければならない
・地球上で支配体制を確立するためには、さらに強い統制を働かせねばならない

優生学はその発祥当時、欧米では非常に人気がありました。この人気はもしかしたら、人間本来が持つ性なのかもしれません。


優生学と心理学はどちらも1800年代に発生したもので、歴史的な背景は同じで、根本となる考え方もほとんど同じです。

この2つに大きく関わってくるのが、現代の世界的な宗教に代表される一神教的な考え方です。

一神教では絶対的な存在である唯一神に従うことが善とされます。しかしその裏では、

信者や貧民たちを、自然や宇宙の目に見えない摂理から遠ざけたり、社会の闇や問題点から目を背けさせたりする意図があります。

これとまったく同じ考え方が、先の精神医学の「七大大綱」に記されている、すべての宗教の撤廃です。

「すべての宗教の撤廃」とは、言い換えれば、精神医学や心理学を扱う自分たちこそが宗教団体の代わりになるということです。

唯一神も含む見えないものの摂理をすべて打ち砕くことが目的であり、人間を心理学や精神医学のもとに従わせようという意図を持っています。

優れたごく一部の者が奴隷をコントロールし、要らない奴隷は死んでもらっても構わない、という優生学そのものの実践であることが、おわかりいただけるでしょう。

近現代史において、精神医学や心理学、優生学、洗脳学について特化した組織に、ロンドンのタヴィストック研究所があります。

人間の精神や心や考え方を徹底的にコントロールする研究と訓練を行ってきた機関で、指導してきたのは精神科医や心理学者が中心です。

詳しい説明はここではしませんが、タヴィストック研究所は強力な洗脳技術を持つCIAと協力関係を持ちます。ヒトラーが訓練を受けていた機関としても知られ、後年のMKウルトラ計画（CIAがタヴィストック研究所と極秘に共同実施していた洗脳実験）が生まれたといえば、どのような研究をしてきたか想像できることでしょう。

1900年代にナチス・ドイツやヒトラーが、「アーリア人種こそが世界を支配するに値する人種である」として断種政策を始め、それがエスカレートした結果、精神障害者や身体障害者に対する強制的な安楽死政策（T4作戦）や、ラマ族の虐殺まで行うこととなったのは、優生学を政治的に反映させた結果といえます。

ヨーロッパで確立した優生学ですが、日本も無関係ではありません。

日本では明治維新以降から優生学が入り、1900年に精神病者監護法によって、私宅監置や座敷牢《ざしきろう》を合法化しました。

30年には優生運動を主眼とする日本民族衛生学会を設立し、「民族の花園を荒らす雑草は、断種手術によって根こそぎ刈り取り、日本民族永遠の繁栄を期さねばならぬ」として民族浄化を推奨しました。

この考えは国民優生法や戦後の優生保護法に引き継がれ、遺伝性疾患や精神薄弱者の断種を行う根拠になってきました。

世界最多の精神科病床数を持つこと、児童相談所の闇、出生前遺伝子診断の推奨、新型コロナ茶番におけるさまざまな差別などといった日本の現状を見れば、現代でもこの国には優生学が根強く残っていることがわかります。

科学を狂信する現代人の愚

心理学の祖であるヴントが述べたように、心理学が科学であるならば、この科学とは何であるかを考えなければなりません。

既に述べたように、そもそも科学には、大きく分けて「自然科学」「人文科学」「社会科学」の3つがあります。

自然科学がナチュラルなイメージとは異なり、目に見えるものを扱うこと。人文科学が人間そのものや人間がなしたことを研究対象とし、文化や文学、芸術、精神学、思想学、哲学、宗教学、歴史学、占いまでも含めることは既に述べました。

現代医学は目先の科学の奴隷であり、ウソでまみれています。

「エビデンス・ベイスド・メディスン」（ＥＢＭ：科学的根拠に基づいた医療）をもてはやし、検査によってしか人体を判断しない、研究でしか病気を考えない傾向があります。

もともとの体の状態や体質の違い、食生活や生活習慣、そのほかの要素を考慮せず、検査結果に依存して病気などの判断をするのです。

人々の病気がいつまでも治らず、薬を延々と飲み続ける人が増加していることからも、現代医療のやり方が問題なのは明らかです。

最も問題なのが、その目先の科学を現代人は、宗教団体の構成員のように狂信していることです。

目先の科学への盲信は、人々が既存科学にとらわれ、自分自身で「論理的に考えること」をやめることにつながっています。

それでも医学に人々がハマってしまうのは、おそらく現代人が死のイメージを持てないからだと思います。

一般的な救急医、外科医、内科医などは、職業柄、人が死ぬのをよく目にします。人の死から一般人は遠ざかっているので、生と死を司っているように見えるそれらの医者に対して、盲目的な崇拝を抱いてしまうのでしょう。

目先の科学の代表である医学は、宗教団体と同じ条件が揃っています。

宗教団体には集団意識と教義、さらにおカネのやり取り、階級の上下、善悪、依存が発生するから問題です。

目先の科学において、集団意識である科学を鵜呑みにする社会そのものと、教義である研究や論文をエビデンスとして物を売り込むビジネスモデルは、多額のカネを生み出すのです。

統計学とは支配者の学問

統計とは、『広辞苑』にはこのように書かれています。

「集団における個々の要素の分布を調べ、その集団の傾向・性質などを数量的に統一的に明らかにすること。また、その結果として得られた数値」

簡単にいえば、ある集団の傾向や性質を数量的に明らかにする方法です。

また、「統計によって明らかにされた数の比較を基礎として、多くの事実を統計的に観察し、処理する方法を研究する学問」を統計学といいます。


統計学の源流は、古代ヨーロッパの国家調査です。為政者が支配する領域の実情を把握し、徴税や兵役など、国民を統制し国家を運営するために欠かせないものでした。

学問的には、17世紀のイギリスの経済学者ウィリアム・ペティが始祖とされ、彼が著した『政治算術』がその後の社会統計学につながっていきます。

ペティがどんな人物かといえば、カトリック系修道会であるイエズス会で学び、貴族で哲学者のフランシス・ベーコンらと親交がありました。

没後に妻がシェルバーン男爵夫人、長男がシェルバーン男爵となったことをみれば、支配者側の人間であったことがわかるでしょう。

つまり統計学は支配者が奴隷を数字でだまし、洗脳するための学問なのです。


医学論文などで、最も信憑性があるとされている統計方法に「二重盲検試験」があります。

これは2つの集団を無作為に選び、それぞれに「薬」と「プラシーボ」と呼ばれる偽薬を投与して効果を比較する試験です。現在ではこの試験法に則って、ほとんどすべての論文が評価されています。

この試験法で比較すると、薬を投与した集団が改善すると言い張るわけですが、このデータを信用して実際に患者に投与しても、病気が改善しないことがよくあるのです。

研究や論文においては無作為に選んだと記しても、実際は望んだ結果になるように操作が可能です。ここには専門的な論文操作テクニックが必要となります。

なぜ最も信頼できる統計で担保された医学で、これほど医原病や薬害が起きるのか。それは、そもそもの統計や研究の前提がずれているからなのです。

現代医学は、先にも述べたとおり統計によるデータの宝庫です。

研究や論文だけでなく、血液検査や健康診断結果さえも、統計による数値化で管理されています。

日本人は多数派に属すると安心を感じる民族ですから、血液検査や検診結果の基準値という統計データに、簡単にだまされてしまうのです。

本当に大切なことは、目先の科学や統計の数字ではなく、まず現実を見ること。不思議なものにすぐに答えを出さないこと。

しかし現代では日本人のみならず、世界中のすべての人間が、そんな大切なことを忘れてしまっているようです。

過度の科学信仰の反動がスピリチュアル

目に見えるもの、説明できるもののみを「科学」として信じて疑わないのが現代人です。

それでは目に見えなくても再現性があったり、傾向が顕著なもの＝本来は科学として扱わねばならなかったりするものをどう考えればよいのでしょうか。

「目先の科学」で説明できないものにも、何かしらの意味を見出したいのが人間です。

しかし目に見えないものは、実感したり、物質で証明したりできません。仮に説明できたとしても、相当、勉強していない限り、再現性が難しく、人々は疑いを抱くことになります。

このジレンマを背景に生まれたのが、「スピリチュアル」や「ニューエイジ」（＝新興宗教）です。

一般的に宇宙や生命、大きな存在と自己とのつながり（ワンネス）や、人間の持つ無限の潜在能力を強調し、個人の霊性・精神性を向上させることを目指す思考や実践のことを、米国ではニューエイジ、日本ではスピリチュアルと呼んでいます。

一種のサブカルチャーとして存在する個人宗教ですが、傾倒する人たちは宗教と思っていないことが特徴です。

スピリチュアルは、潜在意識のなかにある言語化できない記憶や出来事に対して、意味を見出したり、言語化したりしようとします。

別のいい方をすると、自分が体験した不思議なこと、感動的な出来事、奇妙な事象などを、スピリチュアルなものとして捉え直します。

これは見えざる神の力で何かしらの現象が起きたとする宗教観と似ており、古き考え方に還《かえ》ろうとする復古主義も背景にあります。

この数十年の過度な科学化や可視化への反発によって、スピリチュアルがより盛んになってきたとも考えられます。

また、先住民とスピリチュアルを結びつけることも多く見られますが、実際にはこの両者は違います。

スピリチュアルに傾倒した人たちが、先住民の考え方への尊敬や畏怖からか、自分たちは先住民の考え方に近いと勝手に捉えているにすぎません。

もっといえば、先住民がもともと持っていた自然崇拝的な思想や、地球への感謝などの精神性を、ビジネス的に都合のいいところだけパクったのが、現代スピリチュアルというふうにもいえます。

先住民との結びつきをあえて強調したとすれば、復古主義を強調したい現れなのかもしれません。

スピリチュアルを考えるには、神智学《しんちがく》（聖典や啓示の解釈を通じ、神や世界の秘密を探ろうとする学問）も知る必要があるでしょう。

神智学は文字からもわかるように、神を智《し》ろうとする学問で、神秘体験や神秘的直観、啓示から、神を認識しようとする考え方です。

紀元後2～3世紀から存在し、ヨーロッパで形成された古い思想です。キリスト教の異端であったグノーシス派から始まり、インドの神秘思想も含んでいます。

私自身は、歴史を知れば知るほどこの神智学というものが大嫌いになります。それでもスピリチュアルだけでなく、代替療法やエネルギー医学だけでなく、陰謀論を扱うときにも外せない学問でもあるため、知る必要があります。

本では、19世紀にブラヴァツキー夫人によって書かれた『シークレット・ドクトリン』が有名です。難しい言葉で書かれた分厚い本で、読んだことがある人のほうが珍しいでしょう。

スピリチュアルを語る人や批判する人は、ネット上も含めて多く存在しますが。そうした人たちは、こうした代表書すら読まず、自分に都合のよい解釈で切り取った考え方を広めたり、批判したりするばかりです。

こうした態度そのものが、スピリチュアルがインチキやオカルトといわれるゆえんです。私の言葉でいう、「お花畑スピリチュアル」(以降、お花畑スピ)ですね。

WHOのがんの痛みからの解放と緩和ケアのマニュアルには、「スピリチュアルな痛み」に関するこんな記述があります。

「病は何の前触れもなくやってくるもので、因果関係がはっきりわからず、『私だけがなぜこんなに苦しまなければならないのか』といった苦痛が生じる。この苦痛は『スピリチュアルな痛み(霊的痛み)』と呼ばれ、すべての人間に現れる痛みだといわれている」

この文章を見たあなたは、どのように感じましたか。あのWHOもよいことをいっているのではないかと思ったでしょうか。

私も半分は同意します。しかし、そんなふうに思った人は、既にだまされているといえるでしょう。詐欺師の筆頭団体や支配者が貧民をだますときは、正直なことをいうわけがありません。

一見、いいことやきれいごとというアメにくるむ手法を、社会論では「善意の陰謀」といったりします。

根本療法や精神療法で患者を診たり、指導したりしてきた私からすれば、病気になる原因は本人にも、社会的にもあることが明らかです。

ですがＷＨＯは、「病気になる理由はわからず、単なる偶然であり、あなたは悪くない」と思わせ、「スピリチュアルに頼って癒やされてよい」と甘い言葉を吐きます。何かに頼ってよいと依存させ、根本的に病気を治すことと向き合わせないことを、この文章で示しているのです。

こうした背景にも気づかず、自分に都合のよい目先のことだけに目を向けて、やれ魂の成長やアセンション（次元上昇）と叫ぶばかりの、スピリチュアルに傾倒する人々を、私は「アホンション」と呼んでいます。

すべての人間が持つ悪魔性

「悪魔性」という言葉を聞き、あなたはどのようなものを思い浮かべますか？

精神医学や優生学、タヴィストック研究所が思い浮かぶかもしれません。

確かに優生学を学び、実践しようなどと考える一般人は滅多にいないでしょう。優生学の歴史上の出来事だけを考えれば、自分には関係ないと思っても当たり前です。

しかし先にも述べた通りで優生学の確立のかなり前、四大文明の頃から優生思想は存在していています。これは四大文明以降のすべての人間に、優生思想があるということを意味します。一般人はそれを自覚していないにすぎません。

以下は優生思想から見える人間の本質です。

・人間は必ず他者を排除する特性を持つ
・人間は自分を正義だと信じ込みたい特徴を持つ
・人間は人間を管理したいという無限欲求を持つ
・人間は管理されたいという究極の奴隷根性を持つ
・人間は小さい世界のなかでまた階級制を作る

「自分たちはこんなにもすばらしい」という、人間の根源的な欲求を満たすために、優生思想は存在します。

この人間の本質を、日本での新型コロナ問題で考えてみます。

いわゆる政府や専門家によるコロナ政策を疑わない「コロナ脳」の人たちと、新型コロナ騒動は詐欺だと考える反コロナ・反ワクチン派の人たちは、一見真逆のように見えますが本質は同じです。

マスクを着けない人を追い立てたマスク警察も、ワクチン反対の理由をSNSなどで主張する反コロナ派の人たちも、自分の正義を主張し、思い込んだ正義に反する人を排除しようとしてきたことはまったく同じなのです。

マスクや消毒に疑問を持たずに従う管理されたい奴隷根性。事情はなんであれ、職場などで客や同僚にマスクや消毒を強いて他人を管理してきたこと。ワクチンの接種回数や未接種かで、他人を評価すること。これらは、すべて優生思想に基づいた行動です。

子どもに「発達障害」という病名を付けることも同じです。

発達障害がウソの病名であることは何冊もの拙著で述べてきましたので、ここで詳しくは述べません。簡単に説明すると、発達障害の基準は「大人の常識に照らし合わせたうえでの問題」です。

子どもが親のいうことを聞かなくても、すぐにかんしゃくを起こしても、コミュニケーションがうまくいかなくても、彼らにとっては生物的に普通の行動であることを、大人の都合で問題とされているのです。

そもそも、子どもの普通の行動を受け入れられない社会や大人の問題であるのに、常識や体裁、親の都合や正義に照らし合わせて、子どもを支配し、管理しようとしているに過ぎません。

児童相談所の問題も同じです。

児童相談所は、もはや最悪の子どもへの虐待機関となっています。

科学的な根拠の示されない「虐待判定」が行われるうえ、その判定は密室で下されます。虐待事実がないことが判明しても、児童相談所の責任は一切問われません。

子どもを保護するという思い込みの正義を振りかざし、自分たちが上位の立場に立ち続けるために、子どもや親をコントロール下に置こうとします。

児童相談所の職員であるというだけで、医師や看護師といった特別な資格を持たなくとも、優生思想を思う存分に発揮できるのです。

世界的な視点に立って考えれば、アフリカ系やヒスパニック系、アジア系人種が、白人から差別されることも、アメリカで白人警官が黒人を平然と射殺することも優生思想の体現です。

6カ月の赤ちゃんにワクチンを打つことも、子どもに発達障害の病名を付けて精神科に通わせて薬漬けにすることも、家庭で夫婦や親子がマウントを取り合うことも、家族の病気をよくしたいと主張して病院に連れていくことも、根本的には同じです。

優生思想に無関係どころか、すべての人間がどっぷり浸かっていることがおわかりいただけるでしょう。

それなのにほとんどすべての人間は、自分が優生思想にまみれているという現実を直視できません。直視できなければ、優生思想的な行動を取っていることに、自覚することも、気づくこともありません。

つまり無自覚な他者への支配欲と無意識な奴隷根性によって、今、この瞬間も優生思想的な行動をしているといえます。

陰謀論における支配者たちのほうが、より悪魔性があると主張する人もいるでしょうが、結局のところ、人類全体が悪魔崇拝的な行動パターンを真似しているのにすぎないのです。

偉人はみな究極の依存性を持つ

人間が集団的な生物であり、その本質に支配欲と奴隷根性を持つことは、これまでの宗教や優生学の項でも述べてきました。そこに追随するのが依存的性質です。

依存とは何かに頼ることですが、何かにとらわれたり、何かにすがったりすることでもあります。薬物中毒や薬漬けになっている精神科の患者だけの、特有の性質ではありません。

食べ物、砂糖、酒、コーヒー、衣服、学問、仕事、名誉、おカネ、宗教、情報、SNS、恋愛、家族――だれもが何かに依存しており、世界中の人間すべてに当てはまる性質です。だれであっても、依存から逃れることはできません。

どんなにすばらしいとされる人物でも、歴史上の偉人でも、何かに没頭しています。没頭することで何かしらの結果を得て、他人から評価を得たに過ぎません。

没頭は究極の依存ともいえます。


幼い子どもが親に訴えかけるのと同じで、自分の主張は必ず聞いてもらえると思っているのも、依存している人間の特徴でしょう。

そんな人は、会話のなかで、相手が一体何を訴えようとしているのかという心の内を読むこともせず、「自分の主張は正当だ」と思い込んでいます。自分の欲求だけが満たされればよく、わかって欲しいという願望の塊です。

つまり承認欲求と依存は隣りあわせなのです。

また、自分の思い通りの答えが得られないと、何度も似た質問をしたり、逆ギレしてきたりする人がいますが、これこそ私が「クレクレ君」と呼ぶ、依存丸出しの人間です。

何かを使えば現状よりもマシになる。何かを拠り所にすればいいことが起こる――そんなふうに思い込み、目先の情報だけに飛びつき、道具に頼ることしか考えられなくなっていきます。

そして宗教やスピリチュアル的なものに逃げたり、別の何かにすがったりして惑わされるという負のループを延々とくり返します。

例えば家族内でワクチンを接種する・しないで、意見が分かれたとします。

自分はワクチンを打たないけれど、家族が打つのを止めたいという話になったとします。そもそも、問題なのは家族内で意見が分かれることです。本気で打たせたくないのであれば、お互いが納得するまで話し合えばいいだけでしょう。

ですが依存した人間であるほど、相手に打ってほしくないという主張は聞き入れられて当然と思い込み、自分の主張を受け入れない家族のほうがバカだと主張します。

このケースに限りませんが、家族が重要なテーマについて情報共有や意見交換ができない事実は、既にその家族が破綻していることを意味します。いい方を変えるなら、テレビの情報よりも家族内で信用がないザコ家族と思われているということです。

それにもかかわらず、陰謀論者系の人々は「自分は正義」だと思い込んでいるので、自分を棚に上げて、家族や周囲の人をバカにします。

相手にしてみれば、仮にいっていることが正しくても、「お前のいうことだけは聞きたくない」という心理が働いているのです。相手が、承認欲求や優生学（この場合はマウント）を察しているわけです。

とらわれたものが病気であれ何であれ、小手先の何かが物事を真の意味で解決することなどありません。しかし依存する人は、依存することそのものに、また依存するのです。健康食品やサプリ、薬（コロナ騒動における「イベルメクチン」、大麻や、大麻由来のCBDオイルなどはその代表）、特効薬的なイメージのもの（重曹やクエン酸など）などが代表例でしょう。

そういうものがよいと述べている人間は、みな依存症の筆頭です。

自立とは「他の援助や支配を受けず、自分の力で判断したり身を立てたりすること。ひとりだち」と、辞典にはあります。

私は患者や精神分析の指導をする際に、依存モデルではなく、自立モデルを作る、という話を最初にします。依存を消すことが自立ではありません。

自立とは何かの執着から解放されることであり、悟りのような要素があるのです。ある種の人が偉人とされたのは、依存を消したのではなく、依存の矛先が違っていただけです。

人類、もしくは社会や地球に対して意義があることを、依存性を持って実行した人が、結果的に偉人となっているだけです。偉人とは、「エライ人」ではなく、依存しまくった人間なのです。

地球上のすべての人間は、例外なく何かしらの依存症なのですから、依存を消そうとしても無意味です。

依存から見える執着や強迫という人間の本質と、そのエネルギーをどこに向けるかを自ら理解することで、少しだけ自立に近づくのです。

仏陀も悟りに至っていない

自立には悟りの要素があると述べましたが、すべての人間が何かしらの依存症なのですから、自立した人間は人類には存在せず、悟りも存在しないことになります。

仏教の歴史から、その後のなれの果ての現在を捉えてみても、仏陀（ゴウタマ・シッダールタ＝釈迦）が悟りを開いたなどということは微塵《みじん》も考えられません。

新しい価値観を開いたという点では大いに評価できますが、それと定義でいう「悟り」とはまったく違うものです。

それでは、悟りは本当に存在しないのでしょうか。

私が仏教の一族のなかで生まれ育ったことは既に述べましたが、ありとあらゆる宗教は最低で、すべてなくなればいいと思っています。それは仏教も例外ではありません。

仏教各宗派の主張などは単なる自己顕示欲の現れに過ぎませんし、檀家制度そのほかも、すべては自分たちの権力やカネのためです。

しかしこれは宗教ではなく、宗教団体の話です。

宗教を歴史的な哲学として捉えれば、先住民の自然崇拝や、仏教が成り立った頃のいわゆる原始仏教や仏陀の発想は評価できると思っています。

これは思想であり、哲学であって、「悟り」とは違いますし、一つの意見や考え方であるにすぎないからです。

現代では釈迦（仏陀）は、仏教を開いたただ1人の開祖とされ、ほかの世界的な宗教と同様、一神教の神のように扱われます。

しかし釈迦の教えを弟子たちが伝えた原始仏教では、仏陀は「目覚めた人」を指す普通名詞であり、釈迦だけを指す固有名詞ではありません。釈迦が仏陀と呼ばれるようになったのは、釈迦の死後からのようです。

ここで重要なのは、「新しい価値観に目覚めた人＝悟りを開いた人」ではないということです。しかしどうしても安直な人類の発想だと、そう考えてしまいがちです。

仏陀の教えにはさまざまありますが、その重要概念の一つに「空《くう》」があります。

これは地上のものすべては無為の産物とも捉えられるし、この世はすべて映画『マトリックス』のように、仮の姿や仮想空間であるにすぎないという考えとも捉えられます。

そもそもこの世界が無為であり仮想空間であるとしたら、この世界で人を助け、高い目的を持ち、悟ることさえ無意味です。悟りを持とうとすることで、すでに悟りから遠ざかっていることになります。

この発想はどちらかというと虚無主義に近いですね。

また、仏教では三法印《さんぼういん》と呼ばれる三つの悟りがあります。それは、「諸行無常《しょぎょうむじょう》」「諸法《しょほう》無我《むが》」「涅槃寂静《ねはんじゃくじょう》」と呼ばれています。

「諸行無常」は、どんなものも不動ではなく、流転し、発生し、死に、変化していくという考えです。

「諸法無我」は、どんなものも互いに関連し合いながら存在しているという考えです。

「涅槃寂静」は、煩悩を捨て執着をすることをやめれば、悟りの境地（涅槃）が来るという考えです。

よいことをいっているのかもしれませんが、実はこれは現実を単純に観察した結果にすぎません。

要するに「悟り」とは偉大な印象を持ちがちですが、まったく違うということです。当たり前のことと単純に考えることもできます。また、仮に世界が『マトリックス』のようではなかったとしても、諸行無常であるならば、一度悟りを開いたと思っても、それもまた変化して悟りではなくなっていきます。

生きていること自体、周囲とつながっていることです。諸法無我はそれを表した言葉であり、であるならば悟りを持たない人が周りにいれば、自分も影響を受けて悟りを開けなくなるかもしれません。

煩悩や執着の理解は大事なことだと思いますが、悟りは自分さえよければいい状態だと捉えることも可能であり、それが本当に悟りなのかと疑問に思う人もいるでしょう。

虚無主義的に考えると、この世のすべての存在も、すべての人間のなすことも、すべて無意味です。仏教をはじめとするすべての宗教も、仏教の悟りである三法印も、悟りを開こうとする行為も、仏陀の存在さえも、無価値ということになります。

しかし、定義上では「空」の概念と虚無主義的な概念は似ています。

つまり仏教の中心的な概念が、世のすべてを否定しているように捉えることも可能です。これを考えることは、哲学や宗教学ではとても重要なポイントになります。

すべて無価値ということは、大したことのないわずかな価値がすべてのものにある、というのが私の解説でした。

ニーチェが「永劫回帰」という言葉を使っていうように、すべての人間のほんの少しの価値を何世代にもわたって積み上げていき、いつかは「超人」となる人間が、負のループを乗り越えていくことに意味がある。このように積極的ニヒリズムでは捉えました。

この負のループを乗り越えることが、執着からの解放であり、悟りと似た考え方かもしれません。

いずれにせよ虚無主義の私からすれば、すべては無価値であることが前提になります。

仏陀の考え方を参考にしている一方で、仏陀に限らずだれにも悟りは開けないし、どの教祖であっても人間には悟りは開けないと思っています。

また、仏陀であっても、どんな宗教の教祖であっても、神のような絶対神の申し子でもないことは、本当は自覚していたと思っています。

でもこんなこと書いてしまったら、世界中の奴隷的信者＝ほぼすべての人類は逆ギレしてしまうでしょうね（笑）。

もし本当に教祖たちが悟りを開いていたり、神の顕現だったりすれば、自分たちが唱えた宗教がこれほどに人間を堕落させた未来を予見し、その対応をすればよかっただけの話です。しかし、実際にはだれも何もできていません。

教祖たちを神格化したのは、後世の人間たちの仕業です。教祖たちは悩みの多い「よき人」であっただけで、神でもなく、神の子でもなく、悟りすら開いてなかったただの人間です。

彼ら教祖は、悟って霊性を高めていないし、高次の次元などにはいないし、現代の人間が追いつくのを待ってなどいないと私は思っています。

そして、この崇め奉る精神が、世界中に広がっていることこそが、この世界の希望を強力に阻害しているのだと考えなくてはいけません。

第5章

超共産化、超管理社会の到来と左翼詐欺

日本がコロナワクチンの一大産地になる

今の日本の政治原理は民主主義で、憲法に書かれている通り国民主権であり、私たちは自由のもとに暮らしている——そう思っているお花畑な人は、さすがに本書の読者にはいないでしょう。

国民は民主主義国家だと信じ込まされていますが、実体を見れば社会全体は超共産化が進行し、超管理社会へと向かっています。

そのことが顕著に現れることになったのが、コロナ禍のパンデミックです。コロナ騒動が茶番であること、コロナワクチンに毒性があることは、これまでの拙著や活動で散々発信してきたので、本書では割愛します。

2022年6月に、超党派議員10数名による「子どもへのワクチン接種とワクチン後遺症を考える超党派議員連盟」が作られました。同じ年の10月には、ワクチン接種後数日で死亡した遺族を中心に、「繋ぐ会（ワクチン被害者遺族の会）」が結成され、ワクチンによる被害は留まることを知りません。

しかし、社会全体でそれらを隠蔽しようとしているように、私には見えます。

大量に死者を出しているmRNAワクチンですが、今後、この殺人ワクチンの一大産地になろうとしているのが、何を隠そう日本なのです。

23年7月末には、福島県南相馬市の工業団地にmRNA医薬品の原薬を製造する工場が完成しました。この工場ではmRNAワクチンの原薬製造から製剤化までを一手に担う予定で、年10億人分のワクチンに相当する原薬の製造体制を整える計画です。

mRNA医薬品の受託製造工場稼働は国内初で、本格稼働すれば世界でも最大規模となります。この事業に補助金を出して応援しているのが経済産業省です。

事業者はアルカリスというアメリカのmRNAワクチン企業で、武田薬品と創薬ソルーションプロバイダー・アクセリード株式会社を共同で設立。総額500億円を投じて、mRNAワクチンの一貫生産工場を25年にも設立すると発表しました。

国内大手製薬会社の第一三共は、24年度までに新型コロナウイルスワクチンを年200

0万回分生産できる体制を整えるとしています。埼玉県北本市の第一三共バイオテック工場は、国内企業が開発し承認申請したmRNAワクチンの初の工場となります。

モデルナジャパンも、「政府と連携して」27年稼働を目標に、国内でのmRNAワクチン製造工場の誘致をしています。955億円相当の事業は神奈川県が事業実施場所として採択されました。

世界でのワクチンに対する問題認識が大きくなるなかで、逆行するようにワクチン作りに国からの大量の補助金が流れるのは、政府が多国籍企業の犬であると同時に、全体主義を推し進めていきたいからだといえます。

戦争での軍国主義の蔓延と同じで、みな同じ方向を向くように誘導し、効かないワクチンでも、「みんなで打ってりゃ安心」というふうにしたいわけです。

文部科学省と日本医療研究開発機構（AMED）は、新型コロナウイルスなどの感染症の国産ワクチンや治療薬の開発を進める国内の研究拠点として、中心となる東京大学のほか、北海道、千葉、大阪、長崎の各大学を加えた5大学を選定しました。

それとセットで、23年12月には国立大学法人法改正案が採択され、成立しました。この法改正によって政治が大学人事に介入し、大学の自治が脅かされる恐れがあると、現場からも危惧の声が上がっていました。

昔の大学闘争のイメージでいえば、大学は自由の気風や反権力の象徴だったわけですが、それを根こそぎ叩き潰してしまおうという計画です。これも全体主義といえるのではないでしょうか。


現在では新型コロナウイルスだけではなく、インフルエンザとの混合ワクチン、帯状疱疹ワクチンやがんワクチンまでmRNAの技術が使われるようになっています。

畜産の鶏や豚、牛などの家畜にも、mRNAワクチンを打つことは決まっています。絶対にワクチン接種しないという人でも、今後は知らぬ間に、肉や卵、乳製品を通して、だれもがmRNAワクチンの影響を受けることになるのです。

また、新型ワクチンとして、レプリコンワクチンが開発されていますが、これはmRNAを自己増殖するワクチンです。打った人は周囲にmRNA設計図を伝播（シェディング）していくことでしょう。

「ワクチンを接種しない」といい張っても、みな、ワクチン打ったことと同じになるのです。

製薬会社や超富裕層にしてみれば、「打ってないふざけた反逆者」こそ、新型ワクチンのターゲットにしているのかもしれません。


ワクチン入り野菜も既に登場しています。

ワクチンの代わりに食べて摂取できる、まさに「食べるワクチン」も、カナダのオタワ大学で研究開発が進められています。

ここで考えなくてはいけないのは、その成分が良い悪いというレベルの話ではなく、ワクチンはネタとして超管理主義の道具として使われていることです。

全体だけを考えて個人に我慢させることや、身体に異物を入れることに抵抗感をなくして、人類を監視・管理する目的が含まれているのです。

そして、この超管理主義社会と共産主義というのは、同義語なのです。

日本では不具合があるにもかかわらず、政府はマイナンバーカードを何がなんでも普及させようとがんばっています。有名人をＣＭに起用したり、マイナポイントなるものを考えたりして、まさに必死の普及活動です。

なぜここまでマイナンバーカードを普及させたいのか。これもまた超管理主義社会のカギとなるからです。

個人情報の漏出などトラブル続きで一向に普及がはかどらないにも関わらず、健康保険証を廃止し、マイナ保険証に一本化する法案が23年6月に可決、成立しました。

ワクチンの接種歴もデジタル管理され、ワクチンを打っていない人が簡単にわかるようになります。政府にとって不都合な事態が起きたときには、ワクチンを打っていない人を反乱分子と認定し、牢屋《ろうや》に放り込むことも可能になります。

国民の利便性やデータの安全性などは二の次で、マイナンバーカードを使って一気に超管理社会へ突入することが先決なのです。

そのほかにも、WHOが制定を呼びかけているパンデミック条約があります。

条約には「世界的管理、医療品製造能力強化、知的財産権の免除、パンデミック対策医療薬品の国際公共財化」が明記されており、パンデミック対策という名のもとに、世界中の人の行動を制限できる強制力を持った内容となっています。

これが、24年春にはWHO加盟国との条約締結がなされようとしています。24年5月まで日本は執行理事国を務めていますから、これを拒絶することはできないでしょう。

今さら騒いでも後の祭りです。

日本版CDC（疾病対策予防センター：Centers for Disease Control and Prevention）の新設、WHO日本支部の新設など、厚労省を飛び越えてワクチン接種を強制する事態が近づいています。この事態に、どれだけの国民が危機感を持っているのでしょうか。

感染症法が改正され、すべての医療機関は次に感染症が流行った場合は、感染症対策が義務となります。それに従わない場合は、罰則を与えることも可能です。

同時に改正された予防接種法によって、感染予防に協力しない人は懲罰、罰金を科せることができます。

つまり、ワクチン非接種者に対する隔離という名の逮捕権限ができたようなものです。

このように着々と超共産主義管理社会への突入の準備が進められ、気がつけば包囲網が張り巡らされた自由とは程遠い社会になりつつあります。そんな社会で生きるのが、奴隷として無関心であり続けた日本人の宿命なのです。

超共産完全管理社会に突入するには、「ショック・ドクトリン」という手法が有効です。ショック・ドクトリンとは、カナダのジャーナリストであり作家であるナオミ・クラインによって提唱された概念で、政府や支配層が災害や混乱を利用して急激で根本的な経済・社会の変革を推進する手法を指します。

具体的には自然災害、戦争、政治的な混乱などの危機的な状況を利用して、急速な市場主義や新自由主義の政策を導入することが挙げられます。

24年の幕開けは、元日から能登半島地震というだれにも想像すらできなかった災害でした。翌日に羽田での飛行機事故があり、通り魔、火災など、不思議なくらいに大きな出来事が続き、国民の間に何やら不吉な雰囲気が漂いました。

ネット層は地震が起これば人工地震ネタで騒ぐのが大好きですが、私は人工地震説には常に懐疑的です。特に今回の能登半島地震は普通の地震だと思っています。

しかし災害を利用して、国が超共産管理社会へ向かおうとしているのは明白です。

第一に、被災した中学生を親元から引き離して集団疎開させたことは問題です。だれがどんな指導をするかも曖昧なまま、短い時間で生徒の保護者に疎開を決断させました。これなど、共産主義思想の成れの果て以外の何物でもありません。

阪神淡路大震災の際にも、行政が子どもの避難を促しましたが、あのときの預かり先は親類縁者が主で、その移動を行政が手伝う形が多かったはずです。これには一定の意味があると思いますが、能登ではその形を取りませんでした。

つまり今回の集団疎開は、非常時には行政が子どもを連れ去るという実績を作りました。これを常態化することで、国民に家族分離を受け入れさせる方向へと持っていっています。


岸田総理は、地震発生からわずか3日後の1月4日の年頭会見で、憲法改正に言及していました。災害をいい訳にして、緊急事態条項改正や権力者に都合のいい憲法をねじ込みたいのです。

そして憲法改正に失敗したときのために出されたのが、地方自治法改正案です。これによって、「非常時であれば、個別法に規定がなくても国が自治体に必要な指示ができる」ことになり、「自治体は指示に応じる法的義務を負う」ことになります。

狙いは国の統制力を強め、行政の混乱を防ぐこととなっていますが、これでは地方の自主性が損なわれるのは目に見えています。この改正案が通れば、憲法改正などせずとも、超共産管理社会へと突入させるのは容易です。

私は緊急事態条項やパンデミック条約よりも、一般市民の自治とサバイバル性が損なわれる、地方自治法改正案を最も危険視しています。

しかし、この改正案もおそらく通ってしまうことでしょう。

左翼もまたファシズムへ行き着く

あなたは、左翼に対してどのようなイメージをお持ちでしょうか。

弱者に優しいとか、平等の社会を目指すとか、進歩的、急進派、または革命的な政治勢力を思い浮かべるかもしれません。

社会主義、共産主義、個人の権利主義、進歩主義、急進的な自由主義、無政府主義傾向なども挙げられるでしょう。

日本の政党でいえば、日本共産党、社民党、立憲民主党、れいわ新選組などが代表的な左翼政党です。

左翼の対立概念は右翼ですが、こちらは大音量の街宣車が、その筆頭イメージになっている人も多いでしょう。

右翼とは、保守主義、国家主義、王族主義、反動主義、排外主義的な思想や運動をいいます。または、革命・急進に対して反動・漸進《ぜんしん》を志向する政治勢力や人物を指します。

概して反共産主義・反社会主義・反民主主義・国家主義・超国家主義の精神やイデオロギーを持つ、結束主義（ファシズム）的集団や、人物を意味する用語です。

一般には、ドイツのナチス・ドイツ、イタリアのファシスト、日本の超国家主義者や軍国主義などがその代表といわれています。

右翼は政治においては、特権階級による特権の維持を目指すための社会制度を支持する層や、体制・身分・名誉・伝統的な社会格差や価値観の構造の維持を目標とする社会運動を指します。社会秩序や国民管理への支持を表すためにも使われ、保守・愛国心・国粋主義的な思想を含むとされます。

よって右翼は王族や貴族、独裁者が権力を握り、階級を作り、力を持つものが富を得て、貧乏人はいつまで経っても貧乏の域を脱せない社会を暗によしとしています。それをごまかすために、愛国、お国のため、天皇万歳、権力の強化、などが合言葉となり、貴族と奴隷に人民を分けていくようにするわけです。

それに対して左翼は、「いやいや、人は平等であるべきだ。弱者も強者も等しくあるべきだ」という見せかけの主張を持ちます。

富は分配され、特権階級や貴族たちを制限せよ、みな等しく権利を持ち、どんな権利も守られるべきだという流れを作りがちです。

そう考えると、建前上、左翼は平等をうたい平和主義者のように思えますが、実は最も平等でなく、平和ではない社会を作ります。それは、歴史的な共産主義国家を見れば一目瞭然です。つまり、左翼は二重にきれいごとをいう詐欺師なのです。

右翼が行き着く先はファシズムが多いものです。

ファシズムは権威的で独裁的であるがゆえに、市民の基本的な自由や権利が制限されます。個人よりも指導者や政府の意思が最優先されるのです。

右翼思想者は「俺様は正義だ、俺様は間違っていない」という思想を持つ傾向があり、しかも本人にはその自覚のないことが多いようです。

そして独裁者が好き勝手します。ヒトラーやムッソリーニ、軍国主義時代の日本のように社会はなっていきます。


実は左翼の行き着く先も同じです。

共産主義では共産党の一党制が形成され、党が国家のあらゆる側面を支配します。

共産党は建前上、人々の平等を支援するための組織とされますが、もちろん真の意味で人々を平等にすることはなく、特定の権力者を尊重するだけになります。

旧ソ連や中国、北朝鮮のイメージそのものでよいかと思います。

この中央集権的な構造こそファシズムと同様であり、権力の濫用や独裁的な状況を生みます。

市民の自由や権利が制限され、検閲や政治的意見の統一が求められるのは、ファシズムと同じです。

右翼と左翼は対立していると見せかけて、実は根っこは同じなのです。

左翼が弱者に優しいなど大ウソです。弱い者の味方という仮面を被った詐欺師にすぎません。だからこそ日本では、「アカ」などといわれて嫌われてきた歴史があるのです。

左翼系の人たちといえば、原発反対を掲げている人が多いでしょう。反権威主義で、地球に優しい環境への影響を考える人たちであるイメージです。

しかし、反原発の人に限ってコロナが怖いとかいって、ワクチンを打ちまくっているのですからお笑いものです。


社会毒を嫌い、原発には反対する左翼系の人たちは、なぜコロナではひたすら全員検査を実施せよ、ワクチンはひたすら打てという、二律背反した考えを持つのか。

なぜ「原発には利権があり政府は信用できない」といいながら、ワクチンに関しては製薬会社や外資系企業の利権を述べないのか。

左翼や共産主義者はきれいごとや目先ではいいことをいいますが、必ず別の意図を持ってやっています。この二重スパイ的な存在であることをわかっていないと、理解は難しいと思います。

右翼の人たちは、伝統的なものや愛国心など、数字にできないものに価値を置く傾向があります。これに対して、左翼の人たちは、革新的とは名ばかりで、より目先の科学や目先の数字といった測れるものに価値を置く傾向を持ちます。

中国の文化大革命で、伝統が徹底して粛清されたこともこれと同じです。共産主義系の人たちは、エセ科学への盲信によって、ワクチンなどに飛びついてしまうのです。

原発反対もコロナ怖いも、共産主義者の無意識にある、「恐怖」というものが影響しているのかもしれません。

また共産主義と全体主義は同じような意味を持ちます。全体を管理するという意味では、徹底したPCR検査や、接種歴の管理、みながワクチンを打ちマスクをしてロボットになる、という思想は共産主義社会をもたらすうえではうってつけです。

21年の東京都議選の際、左翼政党のれいわ新選組は、下水PCR検査の徹底という政策を公約として掲げました。みなさんの家やマンションの下水を軒並み検査して、陽性だと封鎖するようなイメージです。

これはまさに、「いいことをやっているふりをして」の共産主義の体現で、日本を弱体化するという根本的な計画が横たわっていることを意味しています。


もう一つ、日本の左翼や共産主義者を語るときによく出てくるのが、左翼＝大陸や半島の人であり、左翼＝日本を本当は繁栄させたくない思想者の群れというやつです。

より具体的にいえば、在日外国人をルーツに持っていたり、中国のシンパだったり、韓国のシンパだったりするということです。

逆に右翼というのは国粋主義になりますから、日本万歳、反中・反韓思想になりやすい。

左翼と右翼は対立するのが当然ですが、エセ右翼に日本人がハマりやすい土壌ともなっています。

例えば左翼の反原発思想。これは、環境や健康のためではなく、核爆弾（原発が稼働しているとすぐに作れる）を作らせないようにする政治的意図があるとして、右翼は左翼を批判するのです。

いずれにせよ、戦後、GHQによってアメリカの犬である自民党がエセ保守政党として作られたのと同じように、日本の共産党系も実はGHQが作ったものなのです。

国家主義・軍事技術・天皇制や貴族制の解体、民主主義・科学精神の導入をするに当たって、当時、GHQと共産党の利害は一致していました。また、国民が右翼に傾倒するか、左翼に傾倒するかを選んでいる限りは、支配者が最も得をするということを知っていたからです。つまり右翼思想も、左翼思想も、同じ手のひらの上のサルなのです。

1946年1月には民主主義科学の樹立を目指す「民主主義科学者協会」が共産党の影響下で設立されました。その設立大会では、GHQのW・ヒックスが祝辞を、また日本共産党の活動家で獄中不転向の宮本顕治が来賓《らいひん》あいさつを述べています。

現在の国会を見てもわかりますが、与党も、野党も、みな同族であり、裏では結託して日本を解体するために動いている、と気づいている人はほとんどいません。

重要なのはやはり中国の存在です。

左翼は直接的な中国シンパですし、エセ右翼政党のなかに媚中派《びちゅうは》と呼ばれる存在が多いため、この二大政治思想から政治家を選んでいる限り、何一つ改善されることはありません。

これは実はアメリカも同じです。

アメリカに二大政党制を導入したのは、市民国民の思想を安直にすることと、双方を支配者がコントロールすることによって、市民をコントロールする意図や支配者の姿を隠す意図が含まれています。もちろんド素人は、二大政党制のスバラしさを語りがちですが。

例えば、グローバル資本家によって推し進められている昆虫食を推進する「フードテック議員連盟」に名を連ねる超党派議員は、自民党が16名、立憲民主党が14名、国民民主党が4名、日本維新の会が2名です。

これ以外でも、さまざまなテーマを見ていると一番優先されているのは、多国籍企業への追随や日本を支配・解体したい国への追随です。日本のためを考える政治家というのはただの一人もいません。

日本の政党や政治家はテレビでケンカしたふりをしていますが、これは世にいう出来レースであり、右も左も総まとめで仲良く同じ方向を向いていることを理解しないと、日本の希望と絶望を語ることはできないのです。

支配者が巧みに利用する博愛精神

左翼の有名なうたい文句といえば、「自由・平等・博愛」かもしれません。フランス革命時のスローガンの一つです。

博愛という言葉は、とても聞こえのよい響きを持ちます。書いて字のごとく、「博《ひろ》く平等に愛すること」という意味ですが、分け隔てなく広く平等に愛することができる人間など、はっきりいってこの世にはいません。

きれいごとを吐く人間ほど、醜いものを抱えている人が多いものです。共産主義者を見ていれば、それは一目瞭然です。

ではなぜ、この言葉をお題目のようにいうかといえば、日本人は表面上の言葉を信用するだけの究極お花畑星人だからです。「きれいごと言うときゃアホンジンはだまされる」という思想が背景にあるからです。

実はこれは、「言霊《ことだま》」という概念にも通じています。

私はたくさんの患者や当事者、さらにいえば活動家を見てきて確信しましたが、ことさらに言霊や「きれいな言葉を使いましょう」と述べる人間であるほど、裏では詐欺的なことを働いています。

言霊的な概念の歴史は、日本の歴史的な貴族奴隷思想、および神道的な思想から始まっているので、どちらかといえば右翼的な思想といえるかもしれません。

博愛という言霊を使って詐欺を働くのは左翼の王道です。しかし、左翼＝詐欺師というわけではなく、きれいごとを言って詐欺を働く人間は、右翼も左翼も同じなのです。

お花畑スピの人たちは、言霊にハマりやすいことが特徴の一つです。

そうした人たちは、宇宙や地球、自然の摂理は偉大であり、それを守っていると人間も守られ、自分たちは幸せになれるかのごとく叫ぶ人も多いものです。

はっきりいって、地球とか自然とかはそんなに甘いものではありません。

これらの人が持つ「ワンネス思想」（宇宙や地球、自然も人もすべてが繋がって一つであり、エネルギーにおいて共通であるという思想）は、実はワンネスではなく、ヒューマニズムと呼ばれる人間中心主義が前提にあり、人間に都合よく解釈していることを知らないといけません。

では、このお花畑スピ思想はだれが広げたのか。本書の読者には、さすがにこのパターンの答えがわかってきたのではないかと思います。


博愛といえば、マザーテレサが博愛の実践者であるかのように宣伝されています。

しかし、実際は金の亡者で人身売買を行っていたとか、寄付されたもので私腹を肥やして貯金していたとか、自分だけは集中治療室で違う対応を行っただとか、さまざまなことをジャーナリストたちによって指摘されています。

思想母体がキリスト教なので、当然といえば当然です。博愛の精神と宗教の欺瞞《ぎまん》も切り離すことはできません。

つまり博愛こそが悪魔崇拝であり、正直者をだますためのエサなのです。これを業界用語で、「善意の陰謀」と呼ぶことは、既に指摘しました。


王族貴族や財閥軍団は、博愛を貧民の奴隷管理に活用してきました。

また、人道、救済、博愛、慈善活動などの一見聞こえのよいものの原点は、「他者から認められたい、自分を価値ある存在として認めたい」という欲求が原点です。

そうした動機を、王族貴族や財閥軍団はうまく利用します。それは「尊敬・自尊の欲求」とも呼ばれ、いわゆる「承認欲求」というものです。

ほとんどすべての承認欲求は、幼少期に形成されます。

特に0～5歳までが重要です。私たち人間は生まれたすぐ後から、親や周りの人たちの顔色をうかがい、環境に合わせようとします。

私は拙著『心の絶対法則』で、それを「全人類アダルトチルドレンの絶対法則」と名づけました。

アダルトチルドレンとは、「家族や世間のなかで、幼少期から演じ続けてきたいつわりの自分」と表現されますが、もともとはアルコール依存症の親を持つ子どもを指します。

そのような子どもたちが大人になってからの特徴を調査すると、とても重要な一致点があることがわかりました。それは、「破壊的な奉仕精神によって自らを破壊していく」ということです。

このアダルトチルドレンの特徴である「破壊的な奉仕精神」は、ほかの子どもにも見られる傾向ではないのではないかと、考えられるようになりました。

現在では精神学の世界では、家庭不和の子ども全般を指すことになります。しかし、家庭不和でなくても、みなこの特徴を持っていると私は考えます。

承認欲求は自分では気づいていない場合がほとんどで、人道、救済、博愛、慈善活動など、「人のため」と訴える医者や治療家、政治家や社会活動家こそ、承認欲求が根深いともいえます。


彼らをよく観察すると、自分や自分の家族が問題を抱えている状況にも関わらず、人に評価されたいという欲望のもとに、社会活動ばかりして、自分や家庭を崩壊させているケースが非常に多く見られます。

日本のため、社会のため、子どもたちのためなどと声高に叫びながら、慈善活動や政治活動を行っている多くの人たちが、実生活では家族との関係を破綻させています。自分の抱えている問題に向き合うこともせず、ただ聞こえのいい言葉に乗せてきれいごとをまくし立てているのです。私も自分自身がそうならないようにいつも警戒しています。

このような根源的欲求を、支配者や王族貴族はよく理解しているので、貧民の奴隷管理に使うのです。

博愛は、「博《ひろ》く平等に愛すること」と定義されていますが、この平等というのも厄介な概念です。平等の概念は、ヒエラルキーや支配者・管理者と奴隷がいるという社会の構造から生まれます。

貴族奴隷制や王族制がはびこる社会。支配者がまるで圧政者のように振る舞う社会。また、ファシズムのように社会的に自由を奪っている社会。持てる者が持たない者を搾取してより肥えていく社会——そんな社会は不公平である。だから平等であるべきだという共産主義的な主張は、一見聞こえがよく、平等に希望を見出したくなるのはわかります。しかし、平等に希望があると思うこと自体が、支配者にエサを与えるだけなのです。奴隷に平等というエセ概念を吹き込んだ者こそ、実は支配者なのですから。

今、民主主義だと勘違いさせられている私たちが生きている社会ほど、奴隷的であり、支配が強固である世界は存在しないでしょう。

正義や倫理の押し付け、博愛と平等の精神の押し付けこそが、最も厄介な支配体制です。

博愛と平等の裏に隠されているのは、支配者たち、すなわち選ばれた者だけがよければなんでもよいという醜い思想です。それが見えないように周到に隠されているのが、今の日本なのです。


イギリスの上流階級の知識人が集まった、フェビアン協会という社会主義団体があります。彼らは自由、博愛、平等をうたっています。

ユートピア社会主義の末裔傍流で、革命や暴力によってではなく、議会政治を通じて社会改革を実行し、漸進的な社会主義の実現を目指します。それだけ聞けば、平和主義で問題ないのですが、このフェビアン協会のシンボルマークをご存じでしょうか。

シンボルマークでは、狼が羊の皮を背負っているモチーフが施されています（左ページ上の図版）。

まさに羊の皮をまとった狼。口先で自由、博愛、平等をうたっておきながら、その実は詐欺師です。中身は人を殺すこともいとわない狼だというわけですが、上流階級ではそのような考え方がむしろ基本なのです。

自由、博愛、平等をうたうフェビアン協会のシンボルマーク。狼が羊の皮を背負っている

クリスマスもハロウィンも悪魔崇拝

前章で触れた優生学と似通った思想が、悪魔崇拝ということになるでしょう。

悪魔崇拝の概念自体は宗教的であり、限定的にいうならばキリスト教的な価値観です。しかし、少し拡大解釈すれば、悪魔崇拝はどこにでも存在しています。

悪魔崇拝で最も大事なこと＝悪魔様に褒められるのは「子どもを生贄《いけにえ》にした儀式」を行うことです。

ほかにも重要なのは、人間を作ったとされる神の摂理を壊すことです。一番初めに生まれた長子が生物的には大事であり、子どもを大切にしない生物は滅ぶしかありません。そのため悪魔崇拝では、子どもを生贄にすることこそが最上の価値を持ちます。

ワクチンはこの思想のほんの一例にすぎません。

クリスマスは、イエス・キリストが生まれた日ではなく、ミトラ教が信仰する太陽神ミトラの生誕日だといわれています。

旧約聖書にあるニムロデ（絶対神に逆らったもの）の誕生日という説もあります。

ミトラ教は東方ペルシャで生まれ、古代ローマ帝国やインドなど広範な地域で広まった宗教です。ミトラ教の太陽崇拝には秘儀や生贄の儀式がありますが、すべては通じているということです。

日本でもすっかり定着したハロウィンも、悪魔崇拝のイベントといえるでしょう。

悪霊を追い出すという建前で悪魔の仮装をするという説ですが、自分が悪魔になるということを単純に表現しています。

その起源は、古代ケルト人の間で重要な役割を果たしたドルイド信仰に基づいた宗教儀式です。ここでも、太陽崇拝による生贄の儀式が行われていました。

また、ジャック・オー・ランタン（ハロウィンの際に飾られるカボチャで作られたランタン）はカボチャの首になっています。あれが人の首、実は子どもの首だとわかる人は、日本に一体何人くらいいるでしょうか。


バレンタインも然りです。

コロラド大学ボルダー校の古典学者ノエル・レンスキ氏によると、ローマ帝国では毎年2月15日に「ルペルカリア祭」という祝祭が行われていました。

男性が裸になり、多産を祈願して、ヤギや犬の皮でできたムチで未婚女性を叩くというまさに悪魔的な祭りで、これがバレンタインの起源だといわれています。

そこから歴史的に変遷派生していき、いまやカカオという奴隷に長い間、栽培させていたものと、砂糖のような依存的物質を合わせたチョコレートによって男を引っ掛けるという儀式に変わったのです。

それを神聖な恋愛儀式だと思い込ませておけば、貧民などイチコロでコントロールできるのです。

ここであらためて、共産主義についてもおさらいしておきましょう。

共産主義が、政治や経済の分野での思想や理論・社会運動・政治体制の一つであることは既に説明しました。

広義には、共同体（コミュニティ）のための財産共有を意味し、狭義には特にマルクス主義、ボリシェヴィズム、マルクス・レーニン主義などを指します。

しかし、上層部は個人が持つ財産は共有しないことについては、既に述べました。

マルクス主義は、19世紀の思想家カール・マルクス、およびフリードリッヒ・エンゲルスが発展させた社会・経済理論、政治理論の体系です。

歴史的唯物論、階級闘争、資本主義の批判、共産主義の理念、プロレタリアートの革命がマルクス主義の基本的な要点となります。

唯物論に基づき、人間の社会的・経済的な構造が物質的な生産力によって規定され、その構造が社会の発展と変化を生むという視点を持っています。

また、資本主義社会を批判し、資本家階級による生産手段の私有制、労働者の搾取、経済的不平等などに焦点を当て、資本主義を打破して共産主義社会を築くという過程を通じて、階級社会が消失し、平等な社会が形成されるという建前がマルクス主義です。

ウラジーミル・レーニンは、ロシアのボリシェヴィキ党の指導者で、ロシア革命の中心的な人物でした。１９１７年の2月革命と10月革命によってロマノフ王朝が崩壊し、ソビエト社会主義共和国連邦が成立しました。

自身の政治理論を「レーニン主義」として提唱しました。

これは帝国主義を「資本主義の最高段階」と見なし、プロレタリアートによる社会主義革命の必要性を強調したものでした。

革命によって生まれたソビエト連邦では、共産主義の名のもとに強力な中央集権体制が築かれ、政治的な反対勢力が抑圧されました。

言論の自由や政治的な多様性が制限され、一党制となり、スターリン時代には粛清や大量虐殺が行われ、数百万人以上が犠牲となったのはご存じの通りです。

現代の共産主義国といえば北朝鮮です。

北朝鮮では、金家《キム》（金日成《イルソン》、金正日《ジョンイル》、金正恩《ジョンウン》）の指導する専制体制が続いており、国民の政治的・個人的な自由が制約されています。

政治的な不満や異議申し立てに対して厳しい抑圧が行われており、人権侵害が横行しています。労働収容所や拷問《ごうもん》、公開処刑などが堂々と行われており、核兵器開発も含め、国際的な非難や経済制裁を引き起こし、国際社会との対立を招いています。

共産主義の大国といえば中国です。

中国では近年、先進的な監視技術の導入が進んでいます。顔認識技術、監視カメラ、スマートシティ構想など、公共の場やオンライン空間において、市民の行動が厳しく監視されています。

また、中国は社会信用体系を導入し、個々の市民の信用スコアを評価しています。行動パターン、経済的な信用度、社会的な行動などがスコアに影響を与え、国のいいなりになって高いスコアを維持することが奨励されています。

低いスコアは、特定の権利やサービスへのアクセスに制限をもたらします。

中国政府によるインターネット上の情報管理は厳しく、国内のウェブサイトやプラットフォームは検閲が行われ、特に政治的に敏感なトピックに関する情報は制限されています。

国内のソーシャルメディアやウェブサービスは、政府の監視の対象となっています。

中国共産党は、少数民族に対しても民族的な同化政策を採用しており、文化的な差異を尊重するという観点から人権問題が浮上しています。特にウイグル族に対する人権侵害が国際的な批判を浴びています。

共産主義の原点は、貴族王族による支配をなくし、平等な社会を目指すという考えから始まっています。それにも関わらず、行きつく先は同じです。

共産主義自体が、優生学と支配欲の体現となっているのです。

唯物論が文化大革命の基盤

共産主義や左翼思想を語るときに、唯物論（マテリアリズム）を外すことはできません。

唯物論とは、観念や精神、心などの根底には物質があると考え、それを重視する考え方。対して、観念論（イデアリズム）は、精神のほうが根源的で、物質は精神の働きから派生したとする考え方です。

唯物論と観念論は、哲学の分野で重要な「物質」と「観念」という2つの概念です。これらの概念は、物事の本質や存在の根本的な性質に関して、私たちの世界観や思考に2つの異なる視点を提供するとともに、大きな影響を与えます。

まず、物質とは何でしょうか？

物質は私たちが触れたり、見ることができたりするもの全般を指します。机、イス、本、動物、植物、そして私たちの身体も物質です。

物質は現実の一部であり、科学の視点からは物理的な性質や変化が研究されます。これに対して、観念は目に見えないもので、考えや感情、意識などが含まれます。

唯物論では、「物質こそが宇宙や存在の基本的な要素である」とします。

古代ギリシャの哲学者デモクリトスにまで遡り、近代哲学では特に17世紀の哲学者ホッブズや18世紀のフランスの啓蒙思想家ドランバールなどが唯物論を発展させました。

唯物論は、物質が現実社会の根本であり、意識や思考は物質から生じると考え、物事の本質は物質に由来し、物質の変化や運動がすべての出来事を説明する根拠となります。

例えば、植物や動物の生命も物質の組織や反応から生じ、人間の思考や感情も脳の物質的なプロセスに由来すると定義します。

この脳の物質説は、専門的には「モノアミン仮説」と呼び、確実に間違っていることは過去の拙著に記してきたので、その解説は割愛させていただきます。

とにかく唯物論は目先の科学的なアプローチを重視し、実証的な観点から世界を理解しようとするのです。

したがって唯物論では、物質とその変化がすべての出来事を支配すると考えるわけです。

観念論は、「物質ではなく意識や観念、感情など、目に見えないものが宇宙や存在の基本的な要素である」とします。

17世紀の哲学者バークリーやドイツの観念論哲学者カント、ヘーゲルなどが代表的な観念論の立場を展開しました。

唯物論とは対照的に、観念論は意識が物質から生じるのではなく、物質は意識や観念に依存していると考えます。

つまり意識や思考が現実の本質を形成し、物質はその表現や出現形態にすぎないとされます。

観念論的な立場では、人間の思考や感情が先に存在し、それが物質的な脳の働きを通じて現れるとされます。

例えばアートや文化は物質的なものではなく、アーティストや創作者のアイデアや感情が形成するものとされます。

人間関係や社会の構造も、意識や感情、価値観の変化が物質的な状況が作るとします。歴史の進展も、意識の変化によって導かれると考えられるのが観念論です。

つまり唯物論は、物質が宇宙の根本であり、物質的なプロセスが現実を説明する一方で、観念論は意識や観念が宇宙の基本であり、物質はそれに従属していると考えます。

これらの哲学的な立場は、私たちの世界観や価値観に深い影響を与え、哲学の基礎を構築する要素となっています。

私でいえば、明らかに観念論者寄りですが、物質を単純に悪だと考えてもいません。物質・精神ともに重要と捉えているだけです。

文化大革命（１９６６年〜76年）を例にして考えてみましょう。

文化大革命は、毛沢東が指導した中国共産党の政治的運動であり、社会構造や文化を革新し、中国社会における毛沢東主義の強化を図った時期をいいます。

毛沢東の唯物主義的な観点がその基盤となっていました。共産主義者は唯物論的な観点と親和性が高いのです。

文化大革命は中国共産党内の反対勢力を排除し、社会主義革命の再強化を図る目的で始まりました。

文化大革命では、場合によっては政府に批判的な意見を持つ知識人や文化人に対する大規模な迫害を生み出しました。伝統的な文化や芸術も破壊され、学問や芸術活動が意識改革の対象です。超管理主義への道筋を開いたのです。

青年や学生を含む多くの人々が「下放《かほう》」され、都市から農村部に送られて労働部隊として働くことが求められました。

毛沢東はマルクス・エンゲルスの唯物史観を強調し、物質的な実践が歴史の主動力であると考えました。彼は、「知識は実践から始まり、また実践で終わる」と述べ、社会変革を通じて理論を実践に結びつけることを強調しました。

文化大革命は中国社会に混乱と破壊をもたらし、多くの人々が苦しむこととなりました。推定約2000万人もの死者を出しただけでなく、経済的な混乱や文化の喪失、知識人の大量失踪など、その影響は多岐にわたりました。

このことからも、唯物論が全体主義に繋がることがわかります。

家庭崩壊を意図する共産主義

2023年6月16日に、LGBT理解増進法案（LGBT法案）が国会で可決されました。

「性的指向及びジェンダーアイデンティティの多様性に関する国民の理解の増進に関する法律」（以下、LGBT法）として、性的マイノリティに対しての理解増進と差別の解消を目的とした法案です。

野党だけでなく、自民党内からも根強い反対意見が出ていました。しかし23年5月に広島県で開催された主要7カ国首脳会議（G7サミット）後、風向きが徐々に変わり、きちんとした議論がなされることなく、最後はなし崩し的に成立しました。

日本政府になんらかの圧力があったことは一目瞭然です。

エマニュエル駐日大使は、X（旧Twitter）上で、LGBT法案の成立を執拗なほど急かす投稿を重ねていました。内政干渉であるにも関わらず、だれも声を上げません。米国に従わざるを得ない、腑抜《ふぬ》けな国会議員ばかりです。

こうしたマイノリティの権利保障という建前こそが、共産主義の考え方の基本です。今後日本でもＬＧＢＴ関連だけでなく、「選択的夫婦別姓」制度の導入などの議論もますます活発化していくでしょう。

共産主義は全体主義的である一方、家族や社会の関わりよりも、個人の権利を重視する傾向にあるのです。

一見、矛盾しているようにも思えますが、共産主義は封建的な社会や王権主義を否定する建前で始まった思想です。そのため、どれほど少数派の人でも、皆が同じ権限を獲得しなければならないと考えるのです。

封建的な社会では家系や血筋を重視し、その逆、共産主義的な概念では家系より個人というイメージです。

一見するとまともなことをいっているように聞こえるし、人の偽善的精神をくすぐるため、若者や思想学を学んでいない人々が、左翼思想に飛びつくのは仕方がないのかもしれません。

少数の人々がどれだけ異質であろうが、少数が社会に害をなそうが、その事実を指摘するだけでもすべて差別として扱い、「差別反対」と声高に叫んでいれば好き勝手にできる、というのが左翼系の考え方です。権利思想のなれの果てなのです。

少数派の自分たちは、徹底的に守られるべき存在であると捉えます。権利欲だけが肥大化していきますが、周囲のことや権利とともに果たす義務などは忘れがちになります。「アカ」と呼ばれる人たちが、戦後、嫌われてきた理由の一つです。

共産主義の家庭観を、もう少し深掘りしてみます。

共産主義は、家庭における権威や伝統的な役割を再定義しました。「個々の家庭が共同体の一部として機能すること」を奨励したのです。

これはどういう意味なのでしょうか。

家庭の私有財産を制限したり、男女平等を追求したりすることよって、従来の家父長制度や伝統的なジェンダーの役割が変革されました。子育ては共同体全体の責任と位置づけられ、公共の保育制度を導入することによって、伝統的な家庭の役割を変えたのです。

家族を解体し、子育ては公的機関によってまかなうという方向性も同じです。

男女の役割や権利に対する差別の是正というと聞こえはいいのですが、これによって生物学的な男女の役割さえ否定するのが共産主義の精神です。

結果的には、家庭を崩壊させるのが共産主義の目的の一つだといえます。

共産主義の共同体とは名ばかりで、大原則では家族など要りません。家族を大事にすると、全体主義が守られないからです。

全体主義のなかでは、家族という単位は不要で、所属している個人がすべてなのです。その典型例がＬＧＢＴで、男が偉いという思い込みは差別に当たり、男女どちらの性であっても、自ら性別を選ぶ権利があると考えます。それを少しでも否定する者は差別主義者です。

個人の主張がまかり通る根拠はすべて人権です。多数の意見や生物学的な特徴さえも無視してもよいというのが、共産主義の基本思考です。

男女共同参画基本法も、家庭崩壊を意図したものの一つです。

男女共同参画センターは、基本法が１９９９年に施行されて以来、20年間で６・５倍に増加しました。2022年のデータでは、全国に356もの施設が存在しています。

男女共同参画センターと左翼団体はズブズブで、共産党と深い関わりのある新日本婦人の会がセンターでの行事を主催したりしていることからもよくわかります。

そもそも、男女共同参画基本法は、「女子に対するあらゆる形態の差別の撤廃に関する条約」（以下女性差別撤廃条約）に基づいて制定されました。

女性差別撤廃条約は、1979年の第34回国連総会において採択され、81年に発効されました。その国の文化や慣習を壊してでも、男女平等を実現しなければならないという条約です。

私も四大文明が始まってから以降の男尊女卑精神には反対です。しかし、生物学的な身体機能や役割を無視して、男女を平等に扱うことには無理があります。

その結果が労働人口＝奴隷を増やしたり、女性のよい意味での家庭的な役割を壊したりすることにつながります。晩婚化、少子化、子どもの愛着障害、社会毒などの増加は、この法律がもたらしたものでしょう。

さらにコロナワクチンのおかげで死亡者も増え、日本がスピードを上げて衰退へ向かっているのはご存じの通りです。

第6章

あらゆる絶望や厄災のあと、希望は残る

絶望とは希望の裏返し

これまで私は、2025年に日本がなくなると公言してきました。しかし最近では、その発言を撤回し、24年には日本がなくなるといい始めました。

スピードを急速に上げて滅亡に向かうこの国で、一体どうやって希望を見つけることができるのか。そんなことはできるわけがないと、たくさんの拙著や動画、SNSへの投稿などで表明してきました。

それを表明するたびに、お花畑スピや言霊主義者、右翼思想者、左翼思想者などが罵詈雑言を浴びせてくるのです。このような人々は、とてもきれいな言霊とお心をお持ちのようですね（笑）。

しかし私もこの国で生き続けていきます。また、積極的ニヒリズムに価値を見出しています。

絶望と希望は表裏一体であるとするのならば、これだけ絶望の深い日本には、希望も潤沢にあるということができるはずなのです。

『広辞苑』から「希望」を引用すると以下になります。

「①ある事を成就させようとねがい望むこと。また、その事柄。のぞみ。発心集「はかなかりける―なるべし」。鑑三、所感十年「我儕《われら》の来世の―なるものは斯世《しせい》の不公平に基くものである」。「進学を―する」②将来によいことを期待する気持。「―に燃える」「夢も―もない」」

内村鑑三いわく、未来への希望はこの世の不公平を拠り所にしているのですから、今に不平不満や閉塞感があるからこそ、希望という概念が存在することになります。

25年に日本がなくなると主張しながら、私は「市民がつくる政治の会」という政治団体を立ち上げて代表を務めています。日本再生法人会や日本再生プロジェクトなどという会社名も使っているのも、全然虚無主義じゃないといわれそうです。

この世に絶望している一方で、どこかに「希望」があるのかもしれないとも思っている。私自身が虚無主義者になり切れていないのだと思います。

先にも書きましたが、私の祖父2人が浄土真宗家系の関係で、両一族とも巨大な仏教家系なので、宗教団体がよく使うきれいごとというやり口が大嫌いになりました。

政治家、御用学者、医者、社会活動家と呼ばれる人たちが主張する、「人のため、正義のため、真実のため」という言葉には信用が置けません。

私が「世界一嫌われ医者」と自称し、遠慮なくなんでも毒舌で話すのは、政治に無関心な市民にはっぱをかけるためだと勘違いしている人がいます。

確かにそういう側面もあります。しかし、私は自分の言葉をごまかしやきれいごとに使いたくないだけです。他人に嫌われても、自分にウソをつくよりもましだという精神性の現れにすぎません。

それが災いしているのか、事実を述べただけでも他者から叩かれ続けるわけです。

希望は箱のなかにある

希望を別な言葉で言い換えれば、「望み」「期待」「願望」「夢」「祈り」「光明」などになるでしょう。いずれにしても、将来への明るい見通しを意味します。

希望を持つことはよいことであり、希望のない世界は光のない闇であるというのが一般的なイメージでしょう。

では、希望という言葉はどういう場面でよく使われるのでしょうか。

例えば学校の卒業式では次の進路に向けて、「希望を胸に」巣立っていきます。慣れ親しんだ友人たちとの別れという悲しみも、未来への希望が打ち消してくれます。

別の見方をすれば、これも悲しみという目の前の現実から目を背けるための、一時的な麻薬作用といえるかもしれません。

災難や困難な出来事があってお先真っ暗なときにも、希望は生きる勇気を与えてくれます。希望はいつだって、負の現実から目を逸らさせ、明るい気持ちをもたらします。

希望という言葉が、勇気の源泉となるらしいのです。

希望という言葉から私が最初に思いつくのが、ギリシャ神話の「パンドラの箱」です。

最高神であるゼウスは、神々が人間を創造したあと、プロメテウスが人間に火を与えたことに怒りました。その報復として、美しい女性パンドラを送り込みます。

世界はパンドラ以前に女性はおらず、男性のみ存在していました。パンドラは美しくも、世界に厄をもたらす存在でもあったのです。

ゼウスは、あらゆる不幸や災いが入った箱をパンドラに渡し、「絶対に開けてはならない」と命じます。

「絶対にダメだ」と言われると、逆にパンドラは箱が気になり、好奇心と誘惑に負けてその箱を開けてしまいます。

すると、箱のなかにあったあらゆる悪や不幸や災いが飛び出しました。

驚いたパンドラはすぐに蓋をしましたが、箱には「希望」だけが残ったというお話です。この神話から、パンドラの箱は「触れてはいけないもの」の例えとなりました。

人は誘惑に負ける生き物で、男性にとってそれをもたらすのが女性です。誘惑に負けた結果、社会には災厄があふれてしまったが、最後に希望は残る。

これがパンドラの箱の一般的な解釈です。いわゆるポジティブシンキングな評論ですが、よく考えてみれば、この解釈には疑問があります。

ありとあらゆる悪や不幸、災いが箱から出て世の中に蔓延し、希望は箱のなかに残ったままです。

希望は箱のなかに入れて自分の手元に置くものと解釈したとしても、箱のなかに入ったままでは日の目を見ることはありません。

だれの目にも触れない希望は、果たして存在する意味があるのでしょうか。

そもそも希望は、箱のなかから出してはいけないとも考えられます。

希望はあらゆる悪よりも悪質で、希望という大ウソによって現実から逃げ続け、私たちは絶望の世を生きながらえていると捉えることもできるのです。

私の参考とするニーチェも、「希望は本当は禍のなかでも最悪のものである、希望は人間の苦しみを長引かせるから」と述べています。

下手な希望を持つことこそが、絶望的なこの世の中をウソと欺瞞で塗り固め、本当の姿を直視させず、現実逃避のお花畑で生きる手段となっているともいえるわけです。

あなたの天命とは何か?

世界が滅びへ向かい、滅亡時計まである世の中で、なぜ私たちは生きるのでしょうか。

虚無主義を取り込み、この世は絶望的で空しいものだと主張してきている私だからこそ、「なぜ生きるのか」という問いを常に持っています。

そもそも、世の中が生きづらく社畜や親ガチャといった言葉が流行るのは、生まれてきたことや自分の行動に対して、意味を見出したいという根源的な欲求の一つと捉えることが可能です。

人間はほかの地球上の生物と違って、人間以外の全生物に迷惑しかかけない存在です。人間が地球の生物の資格を持っていたのは、先住民の時代までといえるでしょう。自然の摂理に逆らい無限欲求を持つなかで、自然を破壊することしかやってきません。まさに地球のゴミであり、地球のがん細胞です。そんな前提で、それでも人間に生きる意味があるのかと、自らに問いかけなければなりません。

ヒューマニズム＝人間中心の優生学的な思想から問いかけを行うと、お花畑スピのような詐欺っぽい意味しか思い浮かべることができないからです。

生きる意味を考えることと希望を考えることは、決して無関係でないことはだれもが直感でわかるのではないでしょうか。

絶望と死が近いものであることも、直感で理解できるはずです。

もちろん絶望が必ず死に至るとは限らず、希望を持っていても死ぬことはあります。死を絶望と捉えない人もいるでしょう。

しかし未来を考えたとき、希望を持っているほうが生きやすく、絶望だらけのほうが死に近づきやすいのは確かです。

世界的に見ても、日本人は絶望を感じやすく、希望を感じられないからこそ生きづらいのです。

このように希望と絶望は表裏一体なので、分離して考えることはできません。また、希望を見出そうとするのならば、まずはきれいごとや体裁、常識を横に置き、人間らしい「生々しさ」を打ち出していく必要があります。

人間には、人を支配したいという欲求が根源的に存在します。

この欲求も四大文明以降、王族貴族・奴隷社会以降に発生したように私は捉えています。今やこの欲求は100%全員に存在し、それを自覚していない人が大半という問題も抱えています。

右翼や左翼を名乗り正義を声高に唱えるときにも、支配欲が存在することは、前章で述べました。

家族や親しい人の病気をよくしたいと主張するときも、その主張は己の支配欲の強さから出ていることを自覚しなければなりません。

私が教える精神構造分析法では、主張は幼稚な行為だと捉えます。表面上の心理ばかりで、人に聞いて欲しいという願望は、幼少期の承認欲求そのものだからです。

正義がもし本当に存在するのであれば、それはあなたの主張なしに達成されるでしょう。

主張しているときは、自分が正義であり、情報通であることに酔いしれているだけです。

これら支配欲、承認欲求、依存心は人間の本質と切っても切れない関係にあり、生きることを考えるときにも、これらを考察することは絶対条件となってきます。なぜこれらの欲求が人類に普遍的に存在するのか、それを歴史的に考えてきたのが哲学であり、思想学であり、宗教学であるのです。

あえて私の嫌いなスピリチュアル的にいえば、これらを考えることが生きる意味を考えることに通じ、天命を考えることにつながるわけです。

そもそも、天命を考えていない人は希望を考えようもありません。天命というのを私なりに定義するとすれば、「天が自分だけに与えた使命」となります。

これを精神療法的に解釈するならば、自分にはどんな役割があるかを考えることになるのです。どんな人にも得手・不得手があり、小さい存在価値があり、役割があるのです。

儒教では、天命は、君主と臣民、親と子、夫と妻などの関係において個々の役割や責任を指します。各々が自らの立場で善を尽くし、秩序を守ることが天命に従うこととされます。

各々が各自の役割を果たすことが天による命令とみなされ、社会全体の調和を保つ手段となるという考え方です。

道教では、無為自然という自然の法則に従って生きることが重要視されます。

自然の流れや変化に従って行動することが天命に合致するとされ、抵抗や強制よりも柔軟な態度を持つことが奨励されます。

存在主義の哲学では、天命はある種の宿命や前提に縛られず、個々の自由な選択によって生きることが強調されます。

人は自らの存在を作り上げ、自分の道を切り開くことができます。天命は、個人の自己決定によって形成されるものであると考えられます。

ただ「天命＝天が与えただけ」と考えるのではなく、「主体的に作り出す」と考えることは、私にとって評価できる考え方です。

私のいう天命は、最後に挙げた自分の意思決定によって、自分の役割を知り、自分の道を切り開いていくという考え方に近いように思います。

日々の生活のためにやりたくもない仕事を嫌々やったり、おカネや社会的地位が欲しいためにがむしゃらに働いたりすることでは、天命を生きているとはいえません。カネや地位、名誉や体裁は、決して生きる意味にはならないからです。

行動や結果こそが生きる道標

私たちは自分の役割を見つけ、自分が生きていると実感できる目的を見つけるために、何をヒントにすればよいでしょうか。正確な日本語でいえば、「何を道標にすればいいのか」ということです。

確実にいえるのは、知識は道標になりません。知識は記憶に基づくものであり、記憶には想像力や創造力がありません。

知識ではなく、「智慧《ちえ》」のような考え方や思想こそが道標になります。ある情報があっても、そこから何を考えるかは知識ではなく智慧のほうが大事です。

だからこそ、本書では小難しい哲学や思想学、宗教学の話をしてきたのです。

知識だけだと、頭でっかちになり行動しなくなります。知識は自分の変革を妨げる鎧《よろい》になりがちなのです。

そうなると人間は自分の責任を自覚しなくなり、自らの決断と責任を放棄するようになります。これが行きつくと、依存とか、人任せとか、神頼みとかになるのです。

では、どうすれば行動できるのでしょうか。

それには、行動できない原因を突き止めなければなりません。

人は自分の軸がない限り、一生自分の意見を持たず、他人の影響を受けてばかりになります。依存の反対は自立であり、最初は依存からの脱却を目指します。

これまで記したことを正確に書くと、大きな目的に依存するのが自分の軸＝役割と自覚を作るわけですが、それはまず現実を直視できるかどうかにかかっています。

グダグダと自己正当化したり、自己正義を主張したりしているようでは話になりません。


そもそも日本人は自虐的な民族であり、自己否定感を自助努力に反転することが日本人の力であることは、第3章で述べました。

自分はダメだ、まだまだだ、反省しなければならない存在だという自虐的な観点から自分の軸を持つからこそ、改善したり、努力したりという行動に移すことができます。自己アイデンティティの確立は、行動によってしか評価できません。

国の経済規模を示す名目GDPが日本は55年ぶりにドイツに抜かれ、世界第4位に転落しました。バブル経済崩壊後、日本の経済成長は横ばいでしたが、ここ数年で日本社会は目まぐるしく下降しています。

そうとはいえ、大抵の家庭の冷蔵庫には、何かしらの食べ物が多く保存されています。スーパーやコンビニに行けば、食料品は簡単に手に入ります。

今日、畑で収穫するはずの作物が全滅したとか、山や海で獲物を獲らなければ食べるものがないという人はほとんどいないでしょう。

これは食事だけの問題ではなく、基本的な衣食住も満たされています。

雨風や外気温から守ってくれる温かな住環境があり、ショッピングセンターへ行けば清潔で高品質な服を安価に手に入れることができます。

戦争によって爆撃にさらされるような生命の不安もありません。現代の日本では、究極的には生活保護制度があり、目先の安心・安全だけは担保されているのです。

人類の歴史を考えれば、恵まれ過ぎた環境に生きており、そのなかで堕落しているのが今の日本人といえるでしょう。

GDPが世界4位に落ちた理由は、日本人が自分たちの抱えている問題に真摯に向き合わなかったからです。

問題認識がなく原因への認識もない。すべて人に頼り、ヒーローを探し、それ以前に社会に無関心であり、テレビや新聞しか信用しない。問題を認識したと思ったらすべて政府のせい、製薬会社のせい、経済界のせい、財閥のせい、ディープステート（DS）のせいです。DSという概念自体が、奴隷をさらに奴隷化させる概念ということを、当然ながらカスい陰謀論者たちは自覚することもできないわけです。

戦後、GHQの占領下で日本人の奴隷化政策が進みましたが、敗戦当時の日本人は戦争に負けたという現実を受け入れ、目の前の焼け野原から立ち上がる力がありました。「自分たちはゼロなのだからもっと努力しなければ」という、本来の日本人の謙虚さと我慢強さを発揮したのです。自動車、電子機器、半導体など、多くの企業が物作りを競い合い、世界企業へと成長し、技術大国としての日本の土台を作りました。

日本人の謙虚な姿勢や勤勉さは経済を支え、世界に誇れるほどに日本を発展させてきたのです。

しかし、上り調子はいつまでも続くわけはなく、落ちることも既定路線でした。調子にのったツケで、1990年代初頭にバブル経済が崩壊し、平成の時代になるとより売国奴な政治家たちによって、日本を売り渡す政策が進みました。

そんな状況にも関わらず、過去の栄光に引きずられ、平和ボケを通り越して家畜に成り下がりながらも、まだ「日本はすごいんだぞ〜」と希望の幻想に浸っているのが、今のエセ右翼系日本人であり、正義ヅラして悪魔と他国に魂を売っているのが左翼系詐欺師です。

一見、ヒーローのように見えるだれかが登場したらそこに希望を見出し、その人ならば今の状況を一変させてくれるのではないかという希望。陰謀論に飛びつき、陰謀が暴露されれば悪は淘汰されるのではないかという希望。マスコミでコロナワクチン被害について報道されたから、世の中の流れが変わるのではないかという希望。

――そんな安直なところに希望はありません。その希望こそが絶望です。

これらの希望こそが依存心の表れであり、奴隷が奴隷たる証にすぎません。希望を見出す場所を間違えているのです。

希望こそが道標になると人は考えがちですが、それはとても危うい考えです。

希望というのはまぶしい光であって、目くらましにもなります。光の向こうにある具体的な目標を見えなくしているともいえるでしょう。

光のなかにある先の見えないゴールを指差して、あそこを目指そう、あそこに行けば希望があると考えるのは危ない発想です。

スローガンは必要ですが、あまっちょろい夢は要りません。光の幻想のなかで酔いしれて、ただ人生の時間を無駄に過ごしていくことになりかねません。

唯一道標になるものは、行動であり、結果です。

偉大なる目的を立てると同時に、具体的な目先の目標を立てて、一つひとつ達成していく。

努力した結果、2だったものが5に増えたときに初めて、そこに希望を見出す。それこそが、私たちがやらなければならないことです。

現実から目を背けさせる言霊

言霊とは、言葉が持つとされる霊力で、「言魂」とも表記します。

既に述べてきたように、私は言霊という概念に対して強力な否定論者です。それがゆえに、お花畑スピやエセ保守論者によく叩かれています。

私を叩いて反応すること自体、否定されていることが図星だという証だと、いつも笑わせていただいています。とにかくこの言霊という思想は詐欺の温床でしかありません。

ここであらためて言霊を説明すると、声に出した言葉、音声言語が現実の事象に何がしか影響すると信じられ、よい言葉を発するとよいことが起こり、不吉な言葉を発すると凶事が起こるという思い込みを指します。

祝詞《のりと》を奏上する際には、絶対に誤読がないように注意されるのは、祝詞の言葉自体に霊力が備わっているからという考えに基づいています。今日にも残る、結婚式などでの忌み言葉（別れる、切れる、重ねるなど）も、言霊思想の表れです。

一方、自分の意思をはっきりと声に出して言うことを「言挙《ことあ》げ」といって、慢心によるものであると考えられたり、悪い結果がもたらされると信じられました。

その起源は『古事記』にあります。ヤマトタケルの命《みこと》が、伊吹山《いぶきやま》の神の出現に対して退治に出向いたときです。突然、現れた白猪《しろい》を神の使いだと見誤り、素手でやっつけてやろうと「言挙げ」をしたことにより、命を落としました。

神の意思を受けて行動するために、神に確認する言葉が「言霊」で、「言挙げ」ができるのは神だけである。よって、個人が自分の意思をはっきり口にすることは神に背くことだという考えによるものです。

ここまでを読んでいると、言霊思想は何も悪くないではないか、なぜ否定するのだと考える人が多いと思われます。しかしこの思想が、日本人、ひいては人類の堕落を決定づけたことを考察しなければいけません。

そもそも言霊は、『古事記』以外にも、『日本書紀』や『万葉集』などにも出てきます。

これらの皇国史観《こうこくしかん》（歴史観）が土台になっている書物のなかに現れる言霊、という概念が意味するものは何なのか。この考察のためには、これまで挙げてきた知識を総動員する必要があるでしょう。

皇国史観とは、日本は天皇を中心に歴史が継承されてきたと規定し、天皇に忠義を尽くすことが美徳であるとする歴史観です。よって言霊思想は保守系思想と密接に結びついています。

半島からの帰化人による侵略を正当化する『古事記』や『日本書記』はもちろん、南北朝時代に北畠親房《きたばたけちかふさ》が南朝の正当性を示唆するために著した『親皇正統記《じんのうしょうとうき》』や徳川時代の水戸学や本居宣長《もとおりのりなが》、平田篤胤《ひらたあつたね》らの国学なども、幕末の尊皇攘夷運動によって強化され、帝国時代に政府公認の歴史観とされました。

言霊は本来、祝詞など個々人の内なる鍛錬のためにあるものでした。言葉には霊威が宿ると信じていた古代の日本人は、それを言霊と呼んで信仰しており、後に祝詞という形で伝承されていきました。

しかし現代では、目先の利益を求めることに終始したため、悪化を予測した論説を否定したり、言い換えたりという悪習に繋がっていきました。

結果表向きだけ言霊に支配、呪縛され、物事をありのままに検証できない、現実と向き合えない精神を作ってしまったわけです。これが一つ目の否定理由です。

第二次世界大戦に負けた事実を忌み嫌い、負けという言葉を隠して、「敗戦」ではなく「終戦」という言葉を使っているのが典型例です。

論点をすり替え、きれいごとでごまかし、そぐわないものを排除したのです。

戦前の、「このままでは戦争に負ける」「戦争は特権階級が作り出したものだ」などという声に対して、「みんながんばっているときに、負けるなどという言葉を使うな」「天皇は日本を守るためにがんばっているんだ」「戦死した英霊に対して失礼だ」などというきれいごとで、現実逃避の言い訳にする精神性を作り出したのも、実は言霊精神からです。

現在でも、「コロナは弱いウイルスだから過度に怖がる必要はない」「そもそもやり方や取り組み方がおかしく、マスクもワクチンも不要だ」という声に対して、「みんなが自粛して、マスクして、ワクチンも打っているのに、それをしない人は自分勝手だ」「俺たち国民が間違っているというのか」と、マスクをしない人や、ワクチンを打っていない人を非国民扱いしていましたが、これもまったく同じ精神性から来ています。

この場合、「同調圧力」という言葉は批判的な言葉であり、いいイメージでは扱われません。しかし「みんなのため」「思いやりワクチン」などは、言霊的に扱われています。ウソに対して、いいイメージを持たせたいがゆえです。

医学と科学の過度な流通と御用学者が日本をダメにしたのと同じように、古くからの国学者や民俗学者など、主に哲学部門の衰退からもわかる文系破壊が、日本の歴史をゆがめ、日本人の精神をダメにしました。このような言説は、コンプレックスの塊でしかないエセ保守系信者は受け入れられないことでしょう。もちろん、私もよく知っています（笑）。

つまり、『古事記』『日本書紀』『万葉集』などは、今でいう3S政策となんら変わりありません。そこから派生した言霊という思想は、単に現実から人の目を背けさせるだけでなく、体制に迎合させ、権力や支配構図、王族貴族に逆らわないようにさせます。

貧民と奴隷を「いい子ちゃん」でいさせるための手法として発生したのです。これが言霊思想を否定する2つめの理由です。

ここで注意が必要なのは、「日本人の謙虚さ」というやつです。

これは世界でも日本人だけが持つ特徴的な美徳であると、私は書きました。

ここで思考停止してしまうと、「いい子ちゃん」と謙虚は同じものであると勘違いします。この2つの言葉は、明確に違うものだと認識する必要があるのです。

謙虚において重要なことは、まずは事実や自然の摂理に向き合うことです。それに対して、「いい子ちゃん」は非常に従属的な言葉であり、権威に忖度した奴隷的な態度を指します。言霊は否定を避けるようなイメージから、忖度も助長します。

これはお花畑スピの発生条件とも重なります。お花畑スピと言霊は、支配者の支配をより強固にするため、社会の不条理や現実に目を向けさせないように作られたものなのです。

現場も見ないでネットに引きこもってYouTubeで陰謀論を閲覧し、真実を知ったと素人は勘違いします。その勘違いによって生まれた意見をネットで垂れ流せば垂れ流すほど、支配者は得をし、その支配はより強固になっていきます。だからネットに陰謀論を蔓延させているのです。

うさんくささ、二項対立、正義心の助長、論者の対決、それらのことで社会のガス抜きを促すことができるからです。

実は陰謀論も悪い話ばかりではなく、学びになることも出回っています。しかし、陰謀論者といわれながらも陰謀論が嫌いな私から見ても、半分以上のものは、妄想以下のお話にもならないレベルです。

私がそんなふうにいえるのは、現場を見て、現実を見ているからです。また、さまざまな領域のプロたちと、日々情報交換をしているからです。

その情報交換の内容はといえば、とてもネットに出せるものではありません。プロたちの状況証拠的な推察の重ね合わせも含まれているからです。

つまり素人陰謀論とお花畑スピ、言霊は3点セットなのです。実際陰謀論にまみれ、言霊の大事さを説いている人に限って、不健康であり、裏でウソをついていたり、貧乏だったり、詐欺師だったり、周囲と不仲だったりしています。


言霊思想を否定する3つめの理由を説明しましょう。

私が診療で取り入れている言語医学や精神構造分析法の観点は、深層心理を重視しています。これを無視して言霊を解釈すると、必ず悪いことが起こるのです。

言霊には一定の力があり、言葉の周波数としての影響力があるのは確かだと私も思います。

水に「ありがとう」という言葉をかけ続けると、水が美しい結晶を作ったり、「ありがとう」と書いた紙の上に食品を載せると、腐りにくくなったりするという現象を全否定するつもりはありません。これらの現象は、言葉が持つ周波数の影響が「ある程度」出ていることを示唆していると思います。

しかしそれらは人間から離れて、言葉が独立して物質に影響を及ぼしている場合です。人間には心があり、心には深層心理や無意識というものがあります。

深層心理や無意識は、その名の通り自覚できない精神性ですが、それらが持っている周波数や影響のほうが、人間の現実にははるかに強い影響を与えます。

つまり、人間は言霊を意識すればするほど、現実との乖離が起こり、悪いことが起こるのです。

逆にいえば、言霊と深層心理や無意識が完全に合致しなければ、言霊の意味はまったくありません。合致せずに言霊がパワーを発揮するのならば、詐欺師が必ず勝つことになってしまいます。

深層心理や無意識に悪魔的なことを抱えていても、言葉だけきれいごとを並べればいいことが起こるなど、小学生でも信じないでしょう。

専門的にいえば、自分が思っている心は表層心理であり、無意識が深層心理です。自覚している範囲で何を話しても、深層心理には反映されません。

深層心理や無意識は、行動や結果に反映されやすい傾向にあります。そのため、日常的に言霊なんかに意識を払うよりも、「言動一致」を意識したり、行動で結果を残すことに意識を払ったりしたほうが、結果的に言霊の力は発揮されやすくなるのです。

このことを土台として理解できないと、希望の話をすることができないのです。

フラクタル構造からの「根源」

ここであらためて生物的な言葉であり、哲学的な言葉でもある「根源」について考えてみましょう。

「私たち人間の根源は何なのか？」「宇宙の根源は何なのか？」と問われたとき、あなたはどう答えるでしょうか。

答えがわからないときには、反対語を考えることは有効です。根源の反対語はいろいろ考えられますが、「表面的」はその一つでしょう。

人間ほど表面的であり、表面だけ優しく平和的でありたいと願う生物もいません。しかしその一方で、人を虐げ、地球を虐げ、集団化されやすく、いじめや迫害を好む生物もほかには存在しません。

危機や世の中の闇に対しても直視することができず、自分たちが地球の王だと酔いしれる勘違いのゴミ生物です。

人間が地球上に現れるまでは、自然がそのままの姿で循環していたと安易に想像がつきます。人間が現れたことにより、天をゆがめ、地は絶え間なく汚れました。まさに人間こそが、悪魔の申し子なのです。

なぜこうなったのでしょうか？　その根本的な原因と根源はどこにあるのでしょうか。

なぜ人間だけ生物と自然の摂理を守ることができないのでしょうか。

実は、戦争がなく自然と共存できた時代もありました。

先住民の時代、日本でいえば縄文人たちが生きた時代です。少なく見積もっても1万年以上もの間、争いもなく高度な文明を保ちました。そこには支配者は不在で、小さな集落を形成し、自然と一体化して平和に暮らしていたと考えられます。

自然とはすべて流転ともいえます。生物は常に生死をくり返し、移り変わって止むことなく、まさに生々流転の世界です。なぜ人間は流転を狂わせるのか、それを考えることは根源を考えることに通じます。


自然派を自称する詐欺師ばかりの昨今ですが、例えば大麻擁護論者などはその筆頭で、その理由については拙著『新装版　歴史の真相と、大麻の正体』（ヒカルランド刊）に記しています。とにかく現代の日本人は自然に対する認識がズレています。

自然派と根源はまったく関係ないのです。


あらゆるものはフラクタルであるという原則に則って考えると、地球は体であり、人類は細胞です。しかし、人類はもはやがん細胞以下の存在で欲望のままに肥大しています。

地球の汚染、食べ物や社会毒、人間関係や精神性、医学における薬漬けや検査漬け、これらすべてが遺伝子を傷つけ、異常に見える細胞を作るのです。本書の読者ならば、それを実感できるのではないかと思います。

私たち人類は、先住民の時代を超えて文明の時代に入ったときに、私たちの存在そのものががん化したとも捉えられるかもしれません。


人体において、情報を次世代へ受け継ぐ役割を果たすのは遺伝子です。しかし、すべて遺伝子だけで決定づけられているわけではないと、私は思います。

風習、伝承、腸内細菌、周囲の環境から見えないエネルギー（電波、磁場、地場、周波数、氣のたぐい、精神、魂か何か）こそが、私たち人類を人類たらしめているのです。

ここで、私たちを遺伝子以外で規定している何か（私はこれが魂であるとは考えていません）についてイメージしてみましょう。

人類ががん化した時代、物質的な遺伝子とは別に、「私たちを規定するもの」が、がん化したと捉えることもできます。

この私たちを規定する何かは、定義的にいえば、「私たちの精神・肉体両方の設計図」であり、「私たちの根源」を示すものだと考えることができるかもしれません。

本来私ががんを治療するときには、単に臓器を切ったり、貼ったりするのではなく、がん化を促した根本的な原因にアプローチし、遺伝子や肉体・精神すべての状態を改善させる必要があります。

これに照らしていえば、人間が地球のゴミでなくなり、がん細胞でなくなるためには、「我々を規定する何か＝根源」、もしくはそれに通じる何かを改善する必要があります。

いよいよオカルトっぽい話になってきました（笑）。

といっても、簡単に答えは出ません。

私たち人類は未熟過ぎるため、この「我々を規定する何か」の正体をつかんでいないのです。その何かを改善するなど及びもつかない状態です。

私はその何かは魂ではないと確信していますが、魂と考える人も相当数いるでしょう。

それならばそれでよいのですが、そうすると「魂を根本から改善する方法は何か？」と問うているのと同じ意味になります。

「何か」を根底から改善することがどれほど難しいのか、人類には想像できないとも思います。魂を改善する方法を問うことは、この数千年の人類の歴史のすべてをひっくり返すといっているようなものです。

おバカな人類は、お花畑スピや言霊、陰謀論に浸っていれば、まるで魂が浄化するとでも勘違いしているようです。それこそ、歴史上くり返してきた傲慢な行為とまったく同じであると気づかないからこそ、今の地球はこの姿なのです。

これを自覚するかどうかは、希望と絶望の話に直結します。目覚めたふりをして、傲慢の負のループを、さまざまな方向性から実践するのが人類です。

これではどの方向に進もうと、当然絶望しかありません。

ここに希望と改善があるとしたら、既存の思想とはまったく違うところにしか、そのヒントは隠されていないのだと私は思っています。

地球とは「魂の牢獄」なのか？

私は、安易な輪廻転生論が嫌いで、『魂も死ぬ』と拙著のタイトルにしているほどです。

その理屈と根拠、輪廻転生論がいかに支配者が作り出した支配技術なのかは、拙著をお読みいただければと思いますが、あらためて魂を定義してみましょう。

「肉体と別に、それだけで一つの実体を持ち、肉体から遊離したり、死後も存続したりすることが可能と考えられている非物質的な存在。人格や精神の根元として、仮定的に存在するもの」

魂がどのように存在しているのか、本当に存在するのかは、死なない限りわからないでしょう。

しかし、今、仮に魂的なものが存在すると仮定したとき、なぜ人類が地球に魂とともにいるのか、ということを考えなくてはいけません。それらを考察したときに出てくる言葉に、「地球とは魂の牢獄《ろうごく》である」というものがあります。

だれが最初に語った言葉かはよくわかりません。スピリチュアルや新興宗教などでよく使われる言葉です。使われ過ぎて特定できないのかもしれません。

しかし、スピリチュアルや新興宗教への嫌悪感があるとはいえ、私たちが生きている人生や地球が魂の牢獄だといわれると、私も同意したくなります。

スピリチュアル好きな人たちは、人類がプレアデスか、シリウスからやって来たとよくいいます。私は人類がどこから来たのか知りません。

地球にいる私たちはすべて罪人であり、「魂の牢獄」にいるという考え方には、多分、優生思想が入っているのでしょう。

しかし、私が接した先住民の長老たちも、「人類がプレアデスやら、シリウスやらから来た」という話をします。受け継いでいる伝承のなかにあるようで、単純に切り捨てていい話ではないようにも思います。


宇宙人が何かしらの理由で人間を作ったという「インテリジェント・デザイン説」(「知性ある何か」によって生命や宇宙の精妙なシステムが設計されたとする説)があります。その説は進化論みたいな詐欺話よりは、よほどマシだと私は思っています。

もともと人間は奴隷として作られたとするとしっくりくるのです。

私が好きなYouTubeのショート・アニメの世界観があります。

ある宇宙人は、その昔、高度な文明を所持しており、そこの住民もみな自由でよき人たちでした。しかし、高度な文明を使って、住民たちを皆、ロボット化していくことが決まりました。それに反対する子どもが出てくると、邪魔者として冷凍し、地球に送るという内容です。

このアニメは、牢獄の世界観をよく表しているように思います。

スピリチュアル系の理論でも、仏教的な価値観でも、この世界は映画『マトリックス』の仮想空間に例えられます。

私たちが当たり前のように暮らしている世界は、仮想現実というわけです。映画では人間がコンピュータに支配されて生きているような仮想現実で、それもまた夢として見させられています。私たちが仮想空間に存在しているのかどうか、それさえも私たちにはわかりません。

ただこれらのことを考え、地球が魂の牢獄であるかどうかを考えることは、私たち人類はそもそも「何」であり、何の意味があってここにいて、何の役割や価値があるのか、を考えることと同じです。

私もまた、「この地球と社会こそが、魂の牢獄である」と考える人間です。

人間は依存に満ちていて、承認欲求や真実欲求、被害者意識の塊です。みなが己の正当性を訴えるため、世界には争いしかなく、偽善と欺瞞にまみれています。

科学というウソを信仰し、劣化した政治や経済、地球の状態も、すべて自分たちが望んで生み出したものです。

私たちがもし魂の犯罪者であるならば、犯罪者が作るこの世界は、この体たらくで当たり前といえるでしょう。

だれもが「インチキな世界だ」といいながら真実を求めるという、究極な矛盾をくり返すばかりです。

この世界が『マトリックス』であるならば、すべての提唱されている話は真実ではありません。真実を求めている限り、私たちは地球という魂の牢獄から決して抜け出ることはできないわけです。

魂とは何なのか?

それでは、魂とは一体なんなのでしょうか。

この世界が実在していない虚構の空間であり、牢獄であるとするならば、そこには魂という概念さえ存在しないことになります。

『魂も死ぬ』という拙著の結論からいえば、魂についていくら調べようと、文献を引用しようと、これが正しいという答えなど見つかるはずがありません。

そもそも私は輪廻転生論を否定していますが、魂を完全否定はしていません。ここにポイントがあります。

私の論考では「魂も死ぬ」のですから、魂はあるわけです。

私の考えでは人間は死によって肉体と同じく、魂も無に帰り、また魂は宇宙の根源に戻るというものです。

だれにも答えは出せない問題ですので、これが正しいのかどうか私も知りません。それは輪廻転生論と同じです。

私は根源を扱った部分で、「我々を規定している何か」について定義しました。そこで私は、「何か」は魂ではないと思っていると書きました。

「ではなんだ?」といわれると説明しづらいのですが、私の妄想では、それは「精神」であり、宇宙の摂理から枝分かれした分身であり、木と葉っぱのようなものであったりすると思っています。

読者には、多分、こちらの意図は伝わらず、内海はますますオカルトにハマったと思われるかもしれませんね（笑）。

しかし原始宗教や先住民的な思考に、これとよく似た考え方があります。

神がいるかどうかは私にはわかりませんが、仮にいるとしたとき、神は擬人化された存在ではなく、宇宙の摂理そのものです。それは根源であり、自然の成り立ちであり、まるで巨木のようであり、すべての生物はその葉っぱのようなものであるとイメージします。

この葉っぱは魂ではないのです。

魂は地球の三次元の世界では見えませんが、この価値観のなかでは当然存在します。その場合、一般的なイメージの魂は受信機であるにすぎず、私たちの本体は、まるで『マトリックス』の世界観のように、巨木側に存在していると捉えます。

つまり私たちは神の一部であると同時に、枝葉のザコい存在でもあるのです。

こう表現すると、人間は神の一部だと喜ぶ人がいるかもしれません。

しかし神とつながってはいるものの、しょせん枝葉です。大きな幹や根と違い、葉っぱは次から次へと生産され、木から落ちては土に戻り養分となるだけです。神の遺伝子を受け継いでいるのかもしれませんが、さっさと使われて捨てられるだけのゴミという見方もできます。

つまり魂は地球における精神的な要素を持った肉体で、肉体は三次元そのものの物質です。私たちを規定する巨木の一部の「何か」こそ、私たち自身です。

その「何か」からの指令や意思を、魂の牢獄である地球で、疑似行為、疑似体験、疑似実践していることになります。

先ほどは「魂の牢獄」という言葉で表現しましたが、この流れで表現すれば、地球は「私たちを規定する何かとつながっている魂（受け皿）の訓練所」と捉えることもできるでしょう。

私が使った魂という言葉の定義について、あなたがどう思うかはわかりません。

ここで重要なことは、安易な唯物論に走るのではなく、「私たち人類はどんな存在なのか？」という問題を考えてみることです。

何度もいいますが、この問いに正解はありません。

そのため、だれと議論してもケンカになることはないでしょう。自分で考察を進めることが大事なのです。

自分の存在意義や存在の本質、自らの魂への考察こそが、最終的な希望や絶望を考えることへつながっていくのです。

第7章

滅びのなかで芽吹く希望

毎日食べられるだけで幸せ

希望どころか絶望しか感じない現実を直視したうえで、第6章では哲学的に希望をどのように捉えるかを総論的に書きました。

ここまで読んできて、あなたは余計に希望を失いかけているかもしれません。

しかし、最終章では、どうすればこの救いようのない魂の牢獄とやらで、具体的に希望の光を見出すことができるのかを、私なりに提案してみたいと思います。

日々の暮らしのなかで最も重要な視点は、生きているだけで、食べられているだけで、もう充分幸せなのだという意識を持つことだと思っています。

人類の長い歴史を振り返ってみても、その多くは、災害や天候不順など、厳しい自然環境のなかで、食べるものにも事欠く時代です。貧困や戦争によって、生きるか死ぬかの瀬戸際をかいくぐって生き延びてきたのが、祖先なのです。

そんな時代と比べたら、現代ではスーパーやコンビニに行けば、おなかを満たすものは簡単に入手できます。それが、たとえ添加物や農薬だらけ、放射能にまみれていたとしてもです。

貧困家庭が増えていることは事実ですが、それでもたいていの家の冷蔵庫にはたくさんの食品が入っており、食事に困ることはないでしょう。


私たちは、物質的に恵まれ過ぎているのです。それを当然であると思っていることこそ、支配者の手のひらの上で生きるサルと同じなのだと気づかねばなりません。

恵まれているのが当然であると思ってしまえば、よりたくさん欲しくなり、カネや物の所有が人生の最上の価値だと思うようになります。

拝金主義や所有欲が誇大した物質主義をどんなに正当化したところで、死ぬときには、虚しさを感じるだけです。私は看取りなどの医学的な経験から、それをよく知っています。

しかも、それは私一人が知っていることではなく、小説やドラマや映画のなかでも、そんな虚しさはよく描かれるありふれたテーマでもあるはずです。

食べるということは生きることに最も直結する行為であることから、食べ物を自分の手で育てることは重要です。

そのとっかかりとして、小さなプランターを用意するだけでも構いませんので、家庭菜園を始めるといいでしょう。ネギや大葉などの栽培が簡単な薬味などから始め、自分の手で収穫したての野菜を食卓に出してみるだけで、食べる行為の意味が変わります。トマトやキュウリなど、家庭菜園としてのやった感のある「実のなるもの」が採れれば、もっとほかの野菜も作ってみたいという野心も出てきます。


自分で育てた野菜を口にし始めると、次はもっとおいしいものをたくさん作りたくなってくることでしょう。

そうなってくると、土壌や微生物についても興味が出てきて調べるようになります。地球の循環のなかで、生命は秩序を持って生々流転していることに気づくでしょう。

自分も家族も、周りの人たちもみな、自然と一体であることを感じることができれば、自分が生きるうえで何が一番大事なのかが自ずとわかってきます。

そこまで目を向けることができたら、菜園だけでなく、釣りや網漁、罠《わな》によって狩猟採集民の行動を意識してみるのもありでしょう。

私たちは、食物連鎖のなかで生きている生物の一つなのだということを忘れてはいけないのです。

家庭菜園ができないのならば、せめて自分の食べる分くらいは料理をしましょう。日本人であるなら、カツオや昆布、干しシイタケ、煮干しを使って出汁《だし》を取るのは基本です。出汁をベースにすれば、どんな料理にも応用が利くし、味の濃い調味料や香辛料などの刺激物で味覚を狂わせることもありません。

めんどうといって、ファストフードやコンビニ食などの安直な食べ物に手を出さず、少しずつでよいので料理を覚えましょう。

私も料理が好きで、YouTubeでは「世界一嫌われ医者の料理教室」と題して動画を投稿しています。参考までにご覧いただければ幸いです。

運動ももちろん大事です。人は動物であり、文字通り動く生物なのです。

特別な時間を作らなくても、体を動かすことはできます。

日常生活のなかで、雑巾掛けなどの掃除、洗濯物を干したり取り入れたり、料理といった家事などにしても、立派な運動です。

田舎暮らしの人であれば、薪割りや畑仕事などが加わり、取り立てて運動しなくても、毎日の暮らしが運動となり、自然に筋力も体力もつきます。

車は使い過ぎかもしれません。

私が個人的にお勧めするのは、何でもいいので好きなスポーツを見つけて行うことです。歩くだけだと少し運動強度が不足するかと思います。


先住民は狩猟採集したものを決して無駄遣いせず、すべて有効活用をします。所有という概念を持たないため、狩猟採集したものは一族みんなで分け合うのです。

彼らは命を食べて、もらうことも、自分の命を失うことも、近いことだと考えており、死ぬということを地球と一体化するようなイメージで捉えています。

だから自分の死への執着もありません。動物系食品が良いとか悪いとか、植物系食品がよいとか悪いとかなんて発想さえ持っていません。

自然のなかで与えられたもの、得たものを食べていくだけです。これらは現代人には非常に欠けた発想ではないかと思います。

少し先住民の目線で暮らしを考えていくことで、本来の生物らしい生き方を取り戻していけます。

人間が持つ生物本来の暮らし方を意識して行動することで、自ずと生への希望が見えてくるはずです。そして、そもそも希望に執着することそのものがおかしいことに、気づくのではないでしょうか。

豊かさはGDPでは測れない

ＧＤＰは経済的な豊かさの指針になりません。この指標で希望を感じるのは、錯覚に過ぎないでしょう。

そもそも経済大国になること、イコール豊かさなのかと問えば、それは違うでしょう。現在のアメリカや日本の姿がそれを証明しています。

自殺率が高く、薬物中毒率が高く、貧富の差が拡大し、ウソが蔓延し、戦争が続く。そのどこに本質的な豊かさがあるのでしょう。

戦争を考えたとき、自分たちの国家や集団を自ら守る必要があるとは、私もそう思います。しかし、軍事大国になることが強さの証なのではありません。

金満社会には矛盾と限界が生まれます。結局、国民は奴隷であり、政治家も多国籍企業や支配者の犬でしかなくなります。

もちろん、国民の多くが幸福を感じるよい国家になれば私もうれしいのですが、よい国家の定義から考え直さねばならないのです。

GDPにとらわれることは、経済大国という枠にとらわれることと同じ。それはまた、アメリカの奴隷として貢ぎながら、国家として最低限の安全だけが保障されるという意味しかありません。

国が儲けたカネの額だけを考えるよりも、おカネが道具であることを思い出し、どうやって生きたいのかを日本人が見つめ直さない限り、本当の豊かさがもたらされることはないでしょう。

豊かさを考えるにあたっては、北欧やバルト三国は少しお手本になります。

個人教育の密度が高く、全体の基礎知識も高く、個人的な創造力をつけるための教育がなされています。しかし移民促進政策など、同意できない部分が多々あるのも事実です。

そうした国々は、いずれも人口が少ない小国です。国全体としての生産性はさほど高くなくとも、個人レベルの生産性が高いのは、教育の賜物でしょう。

これからの日本人は人口が減り、小国になっていくのは既定路線です。

もちろん人口をなんとか増やし、世界でも影響力の高い国を目指すのもいいでしょう。けれど、人口の大小やカネの保有量に左右されることなく、個人の幸せや生きがいのようなものを日常的に考える国民が増えれば、当然、それは私たちにとって希望的な状況です。

国という視点で見れば、本来持っていた日本の価値や、物作り大国といわれた技術をあらためて見直し、真の意味で地球の改善に役立つ哲学を提供するような国にならないと、自分たちは何のために生きているのかさえもわからなくなってしまうでしょう。

ここでは、ＳＤＧｓ（持続可能な開発目標）のような詐欺丸出しの手法をいっているのではなく、本質的であることが重要になります。

「日本人でよかった」と思えるには、ネットで見られるような見せかけの日本賛美ではなく、日本ならではの謙虚さや勤勉さ、自己否定力という他国にない、独自性を誇りに思える精神性が必要になってきます。

実はそれが、先住民の思想に繋がっているのです。


日本は、GDPで2010年に中国に抜かれ、23年にドイツに抜かれ、26年にはインドにも抜かれるといわれています。

そもそも、中国も、インドも、人口は14億人を超えています。そんな国に、1億2000万人しか人口のいない日本が勝とうという発想がそもそも間違いなのです。

例えばインドは身分制度が厳しく、国民の大半が本当に幸せとは限りません。過去の偉大な哲学も、経済発展とともに忘れ去られてしまうのではないかと懸念しています。

経済だけを求めてしまうと、そんなうらやましくもない国にビジネスチャンスを求める輩も出てきます。

それは希望ではありません。結局おカネにおぼれているだけなのです。

日本人の多くは拝金主義に染まり、カネのことばかり考えています。カネのことばかり考えているのに、国家予算の分配は見当はずれです。

例えばオタクだらけの日本では、サイバー分野に本気を出せば、世界一になれることでしょう。アメリカ人のような、適当で徹底さのない人たちに、日本のオタクが負けるわけありません。しかしその分野への投資は脆弱です。

間違いのないようにいいますが、私はあなた方に「カネを捨てろ」といっているのではありません。カネは道具であり、人生の本質ではないといっているだけです。

日本人はカネよりも大事なものがあるという、例えば武士道精神のようなものを、もう少し取り戻してもいいのではないか、と提言しているに過ぎないのです。

女性の力が新たな希望

歴史のなかにも希望を見出すことができます。しかし、今の日本人は希望を見出す場所を間違えていると思っています。

私は歴史を学ぶことの重要性を、くり返し述べてきました。それは当然ながら、支配者によって都合よく書き換えられた虚構の歴史ではありません。

私たちが参考にしなければならないのは、有史以前の歴史であり、日本人の始まりです。つまり縄文文明やそれ以前に戻れということです。

権力によって王が人を支配し、奴隷を持てば、所有欲は止まることなく大きくなります。広大な土地や女性を手に入れたくなり、そこで権力争いが始まります。

縄文文明には権力者がいなかったのは、所有という概念を持たなかったからです。

古代の日本は、山もあり、海もあり、豊かでした。いつでも手を伸ばせば食べ物があるという安心感があったので、備蓄という概念もあまりなく、溜め込みません。だれがどれだけの物を持っているかで、身分の上下関係が生まれなかったと考えられます。

これは先住民全体にもいえることです。

縄文文明より前からあったであろうと推測される、「分かち合い」という精神もありました。支配者と労働者という構図がないので、集落の共同体はまさに一つの生命体のように絶妙に協力し合い、補い合って暮らしていたと想像します。

集落はバラバラであっても、小さくまとまっており、狩猟採集しながら、後期は農耕もうまく取り入れてバランスを取っていました。

縄文人の食生活からイメージを広げていけば、現代の日本人が何を食べれば社会毒の影響を、極力、受けずに健康でいられるかがわかります。

それについては、後述します。


現代にもわずかに残る里山を見れば、縄文人が自然のなかに住みながら、自然との境界線も作って住み分けをしていたことがわかります。

自然と人の住む集落に境界線がある生活体系を守ることで、必要な分だけ自然の恵みをいただくという精神性が生まれます。

逆に農業、所有、備蓄、林業など、所有や産業で人の価値を測るような精神性が、独占欲と権力欲を肥大化させていきます。


縄文文明まで時代を遡らなくても、日本では昭和の半ばまで、隣人についてよく知っていました。

今や隣人の顔も知らないというのは珍しくありません。個人情報やプライバシーを守るという精神は個人主義を助長し、人から親密さや親近感、気心知れた関係性を奪い、なんでも個人で乗り越える強さが求められます。

しかし人間はそもそも共同体で動く生物です。単体で弱いからこそ、周囲と助け合い、相互依存し合い、肩寄せ合って生き延びてきたのです。

小さな単位の共同体として群れを作り、1人の弱さをだれかが補い、集団として生き延びてきたのが、今も残る先住民たちです。

先住民の社会には支配者である王様はおらず、族長や長老と呼ばれるリーダーや指導者は、世襲ではなく、実力で選ばれます。

彼らには血族主義という考えはあまりなく、一族全員が家族のようなものです。血の継承のみを重んじる優生思想の支配者たちとは真逆の考え方です。

血族主義は伝統を重んじる保守思想に通じますが、先住民思想は保守とも相反するし、かといって自分たちの主義にがんじがらめに縛られているわけでもないので、共産主義や超管理主義の価値観とも違います。

つまり右でも左でもなく、族長のような真の実力者がリーダーを務め、周囲の人々が協力するという仕組みです。この仕組みを日本が取り入れることができたのなら、復活の兆しもあるでしょう。

今の日本の政界や経済界は、カネの儲け方、だまし方、談合、権威主義、成り上がり方が上手なだけの人たちで構成されており、本当の実力者を探すのは困難だと思います。

23年秋に、日本で世界長老会議シンポジウムが開かれ、世界中から長老たちが集まってきました。

そのシンポジウムでこの先、人類が地球と共存しあって生き延びるためには女性の力が必要だと、口を揃えて話していたことも、希望への大きなヒントとなると思いました。

男女共同参画やLGBTQ（性的少数者の尊重）といった風潮は、とかく男女の性差をなくそうとしたり、両性具有という悪魔崇拝をイメージさせるものになっています。

生物学的に、男性と女性には性差に見合った役割分担がなされて然るべきです。男女平等と叫んだところで、男女にはそれぞれ得意・不得意があるのです。

男性は左脳が優位で、論理的に物事を組み立てて考えることが得意です。しかし一つずつ解を解くような脳構造なので、頑固で新しいことに向いていないともいえます。

女性は自然の摂理を感覚で理解し、直接、生命を産み出す創造性もあり、現実的な生活力があります。

縄文の人たちはそれを知っていたからこそ、自然（＝神）の声を聞くことのできる女性シャーマンの存在が大事でした。

縄文文明には女性の権力が強く、女王である卑弥呼は巫女だったといわれています。しかも卑弥呼は特定の人物を指すのではなく、日本各地に存在していた女性シャーマンの総称だったのではないかという説もあり、私はそれを興味深く思います。

こうした女性を男性がサポートすることには意味があります。


長老たちが伝えてくれたように、男女平等という意味ではなく、女性がその特徴を生かして、家族という小さな単位から地域社会、国作りにまでもっと大きな力を発揮できるようになることが、歴史から見たうえで希望を語るうえでは大切だと思います。

逆にいえば男性が強そうなカテゴリーのなかで、女性が無理に張り合うことには限界があります。

女性のそうした行動は、幼少期のトラウマや仮面像に突き動かされている可能性が大きくあります。

それは希望ではなく、負のループと呼ぶべきものだと知っておかねばなりません。

45兆円を超える医療費の削減策

健康とは『広辞苑』に、「身体に悪いところがなく心身がすこやかであること。達者。丈夫。壮健。病気の有無に関する、体の状態」と定義されます。

この定義通りに、「健康＝病気でないこと」と思っているのが現代人です。

しかし、外から見えるような病気がなければ健康かといえば、現代の日本人を考えれば否定されるのは明らかです。

いい子ちゃん精神や忖度精神だけで日々を生き、ストレスを溜め、ときに病気になり、それらを発散するために目先に依存するのが日本人です。

仮に体に医者が見つけられる病気がなくとも、今の日本人は健康とは最も縁遠い民族でしょう。

「健康を考える＝食事を考える」と思い込んでいるのが現代人ですから、ひとまず食べ物について触れていきましょう。

私は目先の健康を追ってさまざまな食事法にこだわる人ほど不健康になる、という現実を山ほど見てきました。

そもそも縄文文明から日常の食を考えるのであれば、本来の自然豊かな日本の風土に根ざした雑食性（＝肉や魚、野菜、木の実など、なんでも食べる）と、日本の季節（旬）を意識することが重要です。

健康法とうたわれる玄米菜食とか、肉食ばかりとかといった偏った食事でどれだけ多くの人が病気になっているのかを直視することこそ、今の日本人が食事を考えるうえでの初歩中の初歩です。

また食事は、単なる栄養補給や健康法の手段だけではありません。先住民の時代から、家族や仲間とのコミュニケーションの一環であったことも忘れてはいけません。

目の前の食事をだれかと共にする楽しみも重要なのです。

健康に希望を見出すためには、まず医学や科学、御用学者が日本や日本人をダメにした現実から考えていくことにしましょう。

すべての物事においてだれかに頼る（＝すべて他人任せで済ます）ヒーロー願望しかなく、医療や「教授」が大好きな権威主義まみれなのが日本人です。

お医者様の言うことに間違いはない、きっと医療が健康にしてくれると信じて疑わないから、45兆円を超える膨大な医療費を貢ぐ国になっているわけです。これは「反コロナ」のサプリメント信仰、イベルメクチン信仰、重曹・クエン酸信仰などでも変わらないと、私は思っています。

私は日本の医療費を大幅に削減するための簡単にして、とても難しい方法として、今の医療裁判システムを変えることを提唱しています。

日本の医療裁判システムについて簡単に説明すると、医療において何かしらの問題が起こったとき、素人である本人や遺族が、医療ミスや医原病を証明しなくてはなりません。この証明者を逆にすることが、最も有効であると考えています。

つまり「問題が起こったとき、素人が医学的に医療ミスや医原病を証明するのではなく、専門家である医者や病院、製薬会社が医原病や医療ミスでないことを先に証明する」という手順です。

この法律では証明権の最初は医学側ですから、医者や病院、製薬会社が、本当によい医療をしているのであれば、彼らの問題にはならない理屈です。

現在の医学の世界では、医者に裁量権があり、それを濫用しても許されるだけでなく、どんな医療ミスや医原病であっても「因果関係はない」と医者が主張すれば、すべてごまかせるシステムになっています。

だから、「この薬のせいで病気になったのでは？　死亡したのでは？」と、本人や家族が医学側を訴えたところで、聞く耳すら持たないどころか、やりたい放題できてしまうのです。

私の考えた医療裁判システムであれば、先に専門家側が証明することになりますが、当然、原告＝素人側も反証したり、反論したりといった疑問をついてくると思われます。

しっかり証明できなければ裁判に負けますが、そんなシステムが仮に通ったとしたら、何が起こるのでしょうか。

それは軽い病気に不必要な治療を行うことも、副作用の強い薬を投与することも、薬の副作用をきちんと説明しないことも、死亡のリスクをきちんと説明しないことも、医療者側の責任が問われやすくなるのです。

そうなると患者が医療によって病気が悪化したり、死亡したりするリスクを考えることとなり、安易な検査や処方、不必要な入院や手術が実践しにくくなります。

本当に必要な医療だけ行うようになれば、今の膨大な医療費を大幅に削減できます。訴えられることにビビって、医学界から逃げ出す医療者も多く出ることでしょう。

しかし交通事故や救急医療の裁判は減ると思われます。専門家側から証明するというときには、救急医療にかかわる裁判は、かなり証明がやりやすい内容だからです。

医療界は大改革を迫られることになり、今までの増え過ぎた閉じ込め型の病院は縮小されます。病院は集約化され、本当に必要な救急医療や産婦人科などに特化しやすくなるでしょう。

病院の数が減れば、軽い病気の患者は通院しにくくなり、現代医療一択の現状は変えることができます。

2006年、夕張市は財政破綻しましたが、その後病院が縮小して市民は逆に元気になり、死亡者数も減少したのは有名な話です。

もちろんこんな医療裁判システムを、日本政府も国民も、微塵たりと望まないことを私は知っています。望まないことは絶望的ですが、その流れが実際に作られるようになったら、それは大いなる希望になるでしょう。つまり人々の動きにこそ、希望の元が詰まっているのです。

誤解のないように書きますが、これは代替療法の勧めではありません。それよりも、過剰治療の問題点、だれかに安易に体をいじらせることの問題点、対症療法しか興味がない治療界全体の問題点をあぶり出したいのであり、そこには代替療法も含まれると考えねばなりません。

しかしこのシステムが取り入れられたら、今のヒーロー願望しかない日本人は、現代医療が使えないならと替わりを探し、代替療法やスピリチュアル、宗教にハマる人が増えるのでしょうね（笑）。

病気や症状は生き方のサイン

希望と絶望が表裏一体であるように、健康と病気も表裏一体です。

本書で私は基本や原則、そもそもを考えることが大切であると、何度も述べました。健康における希望を考えるのであれば、「病気や病むこととはなんであるのか」を考えなければいけません。

また、人間も地球上の生物の一つであり、「そもそも生物は、今、人間がかかっている病気にならない」という原則を理解しながら、「あえて病気になる」ことの意味を考えなければいけません。

私はクリニックの患者指導や根本療法を指導する講座で、病気や症状は生き方のサインだと伝えています。病気や症状は、なぜそれが起こったのかを考える必要があります。

それを考えることによって、例えばがん患者であれば、その人のがんの謎が解けるのです。

私が影響を受けた原始仏教では、生きることは苦であり、病気は希望だとしています。私は健康を考えるときも、この原始仏教の考え方は非常に重要だと思っています。

つまり病気や症状があるほうが幸せであり、ありがたいことでもあり、希望があるということです。

もちろんこの考えを、今の日本人が受け入れることができないのは知っています。しかし、カゼの熱くらい軽微な症状だったら理解できるのではないでしょうか。

カゼはご存じの通り、9割はウイルスにかかることで発症しますが、そのときに出る熱やセキといった症状は体を守るために起こる現象です。

発熱は熱に弱いウイルスを倒す行為でもあり、セキはこれ以上、新しいウイルスが入ってこないようにするための防御行為ともいえます。

すべての身体の反応には、必ず意味があるわけです。

ここで、余命1カ月と診断された末期がんが消えたという自身の経験を『がんが消えた』（日本教文社刊）に著した寺山心一翁《てらやましんいちろう》さんを紹介しましょう。

心一翁さんは、自身の講演会に訪れるがんになった人たちに、「あなたはがんになってよかった。あなたは初めて生きる意味やがんの意味が理解できる段階にきた」と話すそうです。

もちろんこんなことをいわれたがん患者は呆然としますが、私が行う精神構造分析法でも、根本にあることは同じです。

がんや病気の謎を解いたり意味を考えたりするということは、なぜ生きるのか、なぜ病気になったのか、なぜ死ななければならないのか、死とはなんであるか、などを考えるのと同じです。病気とは単にネガティブに捉えるものではないのです。

そうすると、『広辞苑』に書かれた健康の定義も成り立ちません。

つまり「健康＝病気でないこと」という定義が間違っているという発想を持つ人が増えれば、それは真の希望となるでしょう。

健康は目的ではなく、手段なのです。

どんな生き方をするのか、自分の目的に向かって邁進していくためには、体が健康でいたほうが都合がよいのは確かです。重要なのは一生懸命生きることなのですが、健康でいることが人生の目的になっている人が非常に多いのです。

ここに書いた健康の発想を持てれば、その認識が変わることになるわけです。

そうすれば、病気の有無や健康診断の結果に一喜一憂する必要はなくなります。検査結果に問題があると指摘されても、大した症状でなければ目くじら立てることもないでしょう。

その発想があれば、対症療法の薬にも安易に手は出さなくなるはずです。例えば医者のがんという「診断名」でしかない一言が、地獄行きの切符となることもなくなるわけです。

今の日本人は重大な病気に限らず、少しの痛みですら嫌がります。

痛ければ鎮痛剤、眠れなければ睡眠薬、不安なら安定剤を飲むことしか考えず、自分のなかに何の問題が隠れているかに向き合いません。病気になれば医者頼みなのです。

そうではなく、本質的な意味や哲学的なことを考えることがダサい、と思っていることを変えられるかが希望の鍵となるでしょう。

死に方は自分で決める

老いとは年を重ねることであり、心身の生理機能が衰えていくことです。人間も含めたすべての生物は、生まれたら必ず老いいずれ死を迎えます。絶望と死が近いものであることが直感でわかるように、老いは死に近づいていくもの、と感じる人も多いでしょう。

日本の平均寿命が世界一というのはウソですが、詳細は本書では書けないので調べてください。

しかし、とにかく世界一の長寿国と勘違いしている現代の日本人は、テレビにだまされて老いや死から遠ざかろうとするばかりです。

老い衰えることに抗い、抗酸化サプリメントに依存し、病気になれば対症療法に頼ります。見栄えしか考えていないため、皮膚科や美容整形が流行ります。

若い感覚だけが賛美され、年長者はよい意味での重厚感がありません。今の老人に残った精神は老害といわれる醜さのみで、そこに希望などないのは当然だと思います。

ヨーロッパでは人権主義の影響からか、大量の医療チューブに繋がれて老人が栽培させられることはまずありません。そんなことを医者がやれば、歓迎されるどころか、下手すれば訴えられます。

人は個人的な理想論としては、小説や映画で描かれる枯れるような死に方や、「ピンピンころり」へのあこがれを語ります。しかしいざ自分のこと、家族のこととなると、それぞれの承認欲求や支配欲、奴隷根性を体現するべく、理想や精神性をすっかり忘れ、すぐに栽培システムに乗っかるわけです。

つまり絶望的な日本人の精神にも、現代医療の栽培システムにも、大きな問題があります。安楽死や死そのものを日常的に考える人が増えれば、老いていくなかにも希望が見出せるはずです。

死に方は、本来は自分で選択して決めるものです。

それを自由・平等・博愛と管理主義の考え方のもと、自然に死ぬことさえ許されないという共産主義的な悪魔思想が邪魔するのです。

例えば老人や障害者が自死の選択の権利を主張すれば、「生の選別にあたる」として排除されるのが今の日本です。まあそういうことをいう政治家に限って、製薬会社から献金を多数受けていたりするものです。

死を目前にした場合には、弱者を助けないといけないという共産主義的な前提（これ自体が詐欺テクニック）から、どのような状況であっても生かすことが大事であり、チューブ漬けであれ、クスリ漬けであれ、やらないことは人権侵害に当たると解釈されるように誘導されます。

実際は、家族の承認欲求や偽善性のなかで、本人以外の家族によって物事が決められることが大半です。チューブに縛られることが善として、本人以外の人間が生にしがみつかせます。そのため人間を栽培するような終末医療がまかり通り、そもそもあった本人の意思と人権は、どこかに行ってしまうのです。

重大な病気になったり、死期が迫ってきたりしたとき、もしくは健康なうちに、安楽死や延命治療の可否についてきちんと意思表示ができるシステムを導入することで、「ピンピンころり」で死ぬことも特別なことではなくなります。

こうした自身での死に方の選択は、日本ではまだまだ浸透せず、むしろ逆行しています。

死に方を自身で選択できるのであれば、老いる哲学や思想も必要となるでしょう。それは、終活と称して自分の葬式の演出だけ考えるような、安易なものではありません。

仏陀は生きることは苦であり、生老病死（生まれること、老いること、病気になること、死ぬこと）の四つの苦しみからは避けられないといっています。

つまり老いることも、死ぬことも、つらくて当たり前なのです。

先住民は、老いて死ぬことが自然の摂理であることや、生物が自力で食べられなくなったら枯れるように死ぬことを知っています。ある程度自分の死が予測できると、その準備として山に消えていくようなこともあったようです。

「死は自然と一体になるだけ」という考え方で、むしろ死は子孫や次世代の繁栄の肥やしになろうと願い、忌み嫌うこともありませんでした。

山でひっそり死ぬようなことは現代の日本人にはまず無理ですし、そこまで真似ろとはいいませんが、先住民の死生観は重要です。

特に今の日本人が失っているのは、老いは必然である、死ぬときはさっさと死ぬといった考え方です。

ほんの少し前までは、そう考えていた老人がたくさんいました。隠居などもこの延長線上の精神といえるでしょう。


人口比率が高い団塊の世代が後期高齢者となり、これからは多くの人が亡くなり、かつ放射能やワクチンなどの影響から人がより早死にしていく時代が訪れます。

死や老い、病気が今よりも身近になり、そうしたことへの意識が高まり、死や老い、病気、そして健康への執着が減れば、それは希望にもなります。

立つ鳥跡を濁さずとは、日本人の去り際の美徳でもあり、潔くあることへの戒めでもあります。

長生きすること以外何も考えてないのは絶望的です。

長生きするなではなく自然に沿うこと。いざそのときになっても慌てることがなくなれば、日々の出来事がより楽しく思え、老いからも希望が見出せるようになるでしょう。

カネは道具であり価値を表さない

おカネと仕事についての希望とはなんでしょうか。

まずあなたがやるべきこととして私が推薦するのは、自営業者や経営者になる準備です。これは副業でも構いません。

今も日本では大多数の人が雇用の立場にありますが、雇われるというのは依存的な発想に通じます。

大学生が4年間の大学生活の後半を就活に費やすことからもわかるように、日本の若者は真っ先に雇われることを考え、すでに依存的になっています。

日本は若い経営者が少ない傾向にあります。高度成長期であれば、雇われることも悪くなかったのかもしれませんが、これから日本がなくなる状況で、まだ雇われることで安定を得られると思っているのなら、相当にお花畑だといえるかもしれません。

雇われることの問題点は、おカネの勉強をしなくなることです。

税金のことも、年金のことも、雇われていると天引きが当たり前なので、あまり考えません。私も雇われの勤務医時代は、節税という感覚さえ持っていませんでした。

しかし経営者の立場になると、すべて直接に突きつけられることなので、一気に勉強しなければならなくなります。すると税金の矛盾もわかってきます。

決して大金持ちになる必要はありませんが、もっとおカネの勉強をしたり、おカネのシステムを理解したりして、自分たちでおカネを作るシステムを構築し、それを外国に売るくらいのイメージを持つことが必要です。

日本は売国奴があふれ、外資や外国の投資家を中心にハゲタカが集まって貪られているわけですから、むしろ外国からがっぽりおカネを持ってくるくらいの意気込みが欲しいところです。

しかしそれがないのが今の日本なのです。

一部の経営者やYouTuber以外、大多数の今の日本人は「おカネ」と聞けば、大企業や官公庁に勤めたりして安定を担保すること、その給与からやりくりして貯金していくことしか考えられません。

非常に奴隷的な大企業や官公庁で働いていることがステイタスだと思っていたり、年収何千万円などというところしか考えていなかったりします。

そもそも経営をきちんと行っていれば、年収など関係ありません。優秀な経営者となれば節税や効率を考えるので、年収とおカネの出入りは一致しないのです。

脱税などしなくても、収入を効率化するシステムはいろいろあるのです。


また、現代はおカネの価値が広くなっていることも問題です。

既に述べたように、拝金主義的な思想が広まり、おカネの保有量が名誉や地位そのものを表すと拡大解釈されています。

もともとおカネは貨幣であり、等価交換物質です。物と物の直接やり取りをするという物々交換の時代があり、いつも物々交換をしているとめんどうだとか、食べ物と別のものを等価交換するときの不便さなどから、仲介物として貨幣が誕生しました。

仲介物質という基本的なおカネの解釈を忘れてはいけません。本来は、今ほどもてはやされる価値のあるものではなかったのです。

投資でも利子でもそうですが、カネがカネを産んでいくシステムを採用している限りは、いつまで経っても支配者がいない世の中になることはないでしょう。

ユダヤ人が生んだ金貸しシステムがすばらしいと称賛して追従し、崇めているにすぎないからです。

もちろんこれまで述べてきたように、サバイバルの観点からおカネについて勉強し、道具として活用することは大事です。

しかし、おカネに関する基本的な価値観を壊さなければ、奴隷を辞められないのです。

これは銀行システムも然りです。

そもそも利子という概念がおかしいのです。その話を広げると信用創造とか、ユダヤ人と金貸しの話になってしまいますが、陰謀論的な話をあまり掘り下げたくないので、詳細は別書をお読みいただければと思います。

若い人たちのおカネに対するイメージをいかに変えることができるのかが、おカネと仕事の希望に繋がってくるでしょう。

おカネはハサミやコップと同様、道具に過ぎません。道具そのものがすばらしいと思っていることは、間違いなのです。

よく切れるハサミであっても、ハサミはハサミに過ぎません。そのハサミを使って何をするかが大事なのです。

逆にブランド品のバッグは、「カネ持ち」であることを見せびらかすため、あるいはそのバッグを貢いでくれるカネ持ちの男性が、自分にいるということを見せびらかすための道具と成り下がっています。本来の純粋に物を持ち歩くためのバッグという道具ではありません。

たびたび先住民の話を持ち出しますが、彼らにとって道具は用途がすべてなのです。

「半農半X」という希望

そもそも、仕事とはなんなのかという本質を忘れています。

生物として考えたとき、一次産業の従事者が多くならなければ、本来私たちは生き残っていけません。現状の日本では一次産業の従事者が少なすぎます。一次産業の従事者におカネをかけられず、成り手がない国は自立しているとはいえないでしょう。

私は医者ですから三次産業以降の従事者です。

これは日本を含む先進国といわれる国では最も多い産業であり、何か問題が起こったら相談に乗る、問題が起こったら解決するという仕事です。

生きることに関係するもの、例えば食べ物を作るような職業がもっと尊重されたほうがいいわけです。

ところが今は、「問題を解消する」という三次産業の仕事しか増えておらず、そうした産業がむしろ尊敬の的となっています。

起業塾に行ったことのある人ならばわかるかもしれませんが、起業するときにまず考えるのは世の中の人が何に困っているかです。それを解決することを自分の得意に繋げてビジネスにすると、個人で起業するハードルが下がります。

しかし本質的にいえば、その発想はその場しのぎの対症療法にすぎず、薬信仰と同じです。

医者は人が病気になって困ったら、それを解消する仕事です。

例えば江戸時代を考えてみると、医者の絶対数が少なかったので、ほとんどの人は医者に頼らず、自分でなんとかしていました。そもそも死ぬことや病気になることに対しても、今より許容的だったわけです。

そうやって昔は農家や漁師、狩猟家という、生きるために直接必要な仕事をしている人のほうが圧倒的に多く存在しました。

それが今は問題解決屋＝対症療法屋さんであふれています。

一次産業の従事者が極端に少ないのであれば、そこで起業する人が増えることが希望に繋がると私は思っています。

そうはいっても、いきなり農家になるのはハードルが高いことはよくわかっています。

私は「半農半X」が、現代的かつ最初の導入としてよいと思います。

半農半Xとは、週末などの時間があるときに、パート的に農業や物作りに関わること。農家の手伝いをボランティアでやっている人もいて、そのサークル内では物々交換なども行っていると聞いています。

私はいわゆる投資は最悪だと思っています。いわゆる「株でカネを回す」「おカネに働いてもらう」といった発想です。

確かに、うまくやれば投資によって収入や貯金が増えるのかもしれません。しかしリスクだらけなのはいわれている通りです。

今の財テクはある種のテレビゲームみたいなものです。うまくいくほどに、人間から仕事の本質を忘れさせます。

一昔前までおカネは自分が作ったものや、さまざまな価値への評価としてもらうものでした。

人間は生物であり、昔は先住民だったのです。自分が動くから何かを、実物を得ることができる、という生物の法則がありますが、現代人はそれをもはや忘れてしまったようです。その象徴が私は投資だと思っているのです。

財テクのもとを正せば、偽ユダヤ人の考案したルールだということを忘れてはいけません。

そもそも支配者がよりよく民衆を支配するために、貴族の身分を隠す手法として株式会社や株主というものを作ったのです。

株主は支配者です。日本を含む世界を見れば、それは一目瞭然です。日本企業の看板を掲げていても、なかを見れば外資の株主や投資家だらけ。それが何を意味するのかは、本書の読者ならもうわかるでしょう。

重要なのは現行の商業システムのなかで大金持ちや大株主になったとしても、それはまだ支配者の手のひらの上であり、奴隷であることと変わりないという認識です。

理想論的にいえば、株主システムや株式システム、投資システム、銀行システムなどを廃止しない限り、この世界に希望などないのです。

こうやってできるだけ手前にある価値観を崩すことが、希望を語るうえで大事になります。

株式などを使って成り上がりを夢見ていても、それは見せかけの希望にしかならず、大半は失敗して泣きを見るだけです。

仮に成功したとしても、テレビに出ているような成金の輩《やから》みたいになるのがせいぜいです。まあ日本人は、そんな輩の仲間入りを望むのでしょうが。

まずはおカネのウソとシステムについて学び、カネにおぼれることなくこの金融システムという人類史上最大の詐欺を、どうやって打ち壊すかを考える。

国でいえば農家と畜産家を補助し、外資が売る農薬や肥料に頼らない農法の開発、外資に払っている税金を国民に回すことなどが考えられるでしょう。

こうした具体的な「実践」の予兆が出てくれば、それは当然逃げのための希望ではなく、好転のための希望となると思います。

男女本来の姿

子どもを大切に産み育てることができない民族は滅びると、第1章で述べました。

先住民はもちろんのこと、欧米の先進諸国や発展途上国でさえ、今の日本人ほど命や子どもや家族を蔑ろにし、目先の欲を満たすためだけに働く民族はいないでしょう。

もはやどの親も、祖父母も、究極的には毒親・毒爺・毒婆であり、現代の家族はすべて、本来の家族の役割や機能を果たしているとはいえません。

社会に希望を見出したいのであれば、社会の縮図である家族や家庭の在り方を考え直さなくてはなりません。


日本の家族には儒教的な考え方が未だに根強く残っています。

儒教は中国の春秋時代に孔子《こうし》が広めた教えです。厳密には宗教といっていいかは微妙ですが、現代ではそう扱われています。

中国の長い春秋時代で人心がすさんだためか、人間関係や親子関係、倫理などが微塵もなく崩壊の極みにありました。それを立て直すために、孔子はさまざまな教えを伝えました。

なのでこの時代であれば、儒教には一定の価値があったといえるでしょう。

しかしその後儒教も形骸化し、支配者や毒親にとって都合のよい使われ方をするようになりました。

その基本の考え方は、調和を保つためには上の者に従え、親は敬うものだ、年を取ればとるほど偉く、男は女より偉い、というようなものです。

これはともすれば、長生きしている人間が何がなんでも偉い、親がどれだけクソでも従わねばならない、男は女より権力がある——という発想になります。

年上や目上の者は、どんな毒親・毒爺・毒婆・毒親であろうと敬わなければならず、どんなクズ夫であろうと妻は従わなければならず、子どもは支配されて当然となります。

今や時代は毒親や毒家族がど真ん中の時代ですから、このような儒教的な考えにだけ縛られているとサバイバルできません。

もし日本のなかで毒親や毒爺、毒婆の認識が広がり、その割合が減るとするならば、これは大いなる希望だと思います。

自分自身がそう思えるかも大事ですし、自分の家族こそが毒家族という認識を持つことができれば、マウントの取り合いの家族関係は減ることでしょう。

それもまた、日本にとって大いなる希望と思います。

そもそも男性と女性は生物的に違うのですから、父と母の役割は違って当然です。先住民には男女のどちらかが偉いという価値観はそれほどありません。日本の中世や文明開化以後と大きく違う点は、男性より女性のほうがより多くの権利を持っていることです。

生物は子孫が増えなければ滅亡します。そのため子どもを産むことができる女性により多くの権利があり、生活において優遇されるのは当たり前のことです。

場所によりますが、先住民は一対一の夫婦関係が基本となっている場合と、一夫多妻制を導入している場合があるようです。

そして後者の場合でも、女性をないがしろにしていないところに特徴があります。

もちろん女性により多くの権利があるからといって、女性がいばり散らしているわけではありません。男女それぞれの役割に従って、民族が滅ばないように生きているのです。

科学がない時代には、災害や気候的な問題に対して、男性だけでは生き抜くことは難しく、女性の直感に頼ることも多かったと推測されます。

先住民にとって、女性＝賢者です。だからこそ、日本の卑弥呼のような女性シャーマンがいたのです。

そもそもで考えれば、四大文明で身分制ができたときに男を王に据え、女性を奴隷的に扱い始めたことが間違いです。現代のように、女性が男性と同じ仕事で勝とうとすることも間違いなのです。

女性は家に閉じこもれといっているのではありません。しかし争うように外の男世界でバリバリ働くことは、本来の女性や母の姿ではないのです。


生物の摂理から考えれば、得意なことに特化して自分の役割を果たすことが生存につながります。

家族における母は陰陽でいうなら陰です。右脳的な発想を生かして子どもを産み育てたり、危機を回避しながら家族を助けたりする直観力が重要です。

家族における父は陰陽でいうなら陽です。母が最大限に力を発揮できるようにひたすらバックアップをすることや、自分自身が外に出て食料を取ってくること、外敵から守るために戦うことなどが主な役割です。

例えば先住民の狩猟と同じように外で働いて獲物（＝カネ）を得ることや、女性にはできない力仕事を請け負うことです。

ＬＧＢＴＱばかりが優遇される世界観ではなく、この男女の生物学的な役割が少しでも尊重されるようになり、お互いが自分が上ではなく相手を上だと考えるくらいになれば、これは日本にとっても、人類にとっても、大きな希望であるといえるかもしれません。

愛情と「ほっとけ」

本来の祖父母とは、先住民の長老的な役割を担う存在です。

日本で長老と呼ぶと、権力者のイメージがあるようですが、先住民には支配者がいないのですから、長老に権力はありません。隠居老人のイメージが近いかと思います。

自然界の摂理のなかで生き抜いて長生きした結果、「生き字引」とか、「おばあちゃんの知恵袋」とかのような感じで、自然と敬われて長老という存在になるのです。

だから長老は現代の毒爺・毒婆のように偉そうにすることはありません。要するに老害ではないのです。

「おばあちゃんの知恵袋」は、今では日本の民間療法やお手当の代名詞のようになっていますが、本来の祖父母のあり方を指しています。

スタジオジブリの映画に出てくる爺婆を見ても、それがわかるでしょう。『風の谷のナウシカ』の婆さまやユパ、『もののけ姫』のアシタカの一族の婆さまは、困ったときに若い人が頼り、その際にはヒントになる一言を放つ哲学的な存在です。毒爺・毒婆のように、不用意にしゃしゃり出てくることはありません。

しかし現代の老人は、老いてもなお権力を誇示しようとします。既に親となった自分の子どもや孫を甘やかしまくってダメにします。だから老害といわれて煙たがられるのです。

老人たちの多くが老害という言葉の意味を理解し、なぜ昔の老人たちが尊敬されていたのかに思いをはせれば、当然ながら老害と呼ばれる人は減るでしょう。

減れば当然ながら大いなる希望ですが、現代の老人は人の話をまったく聞かないので、期待できるかどうかはわかりません。

家族に注ぐ愛情も、勘違いしていないでしょうか。

愛情をくり返し口に出す人に限って、とにかく承認欲求の塊であり、破壊的な奉仕精神の虜になっている人も多いものです。残念ながらそれは愛情とはいえません。

私の意見では本当の愛情とは、仏陀の教えのような「慈悲の心」であり、言い換えれば、「許容性」です。私の言葉にするならば、「どーでもいい」「ほっとけ」「好きにさせとけ」になります。

家族を含めた自分以外のだれかのやること・為すことに口を出すのは、愛情ではなく自分自身の正義を主張する単なる執着です。

だれかの考えを正そうと、自分の意見を押し付けるだけの行為を家族に平気でやっている人間が、家族の拡大版である社会への貢献など、できるはずもありません。

昨今ではSNSのコメント欄には、正義の推し活・自称覚醒者のクソどもがあふれています。愛とか人のためとか、いっているのはクソどもだけです。

滅亡する日本で生きていくのであれば、この執着からの解放は重要だと思います。

多くの人がこの身近に横たわる執着からの解放を意識できるようになれば、これは大いなる希望として評価できます。

人間だから完全に解放する必要はありません。自分が執着マシーンだと意識できる人が増えれば、第一歩としては充分です。

本来の家族の機能は、親は真の意味で子どもに愛情を注ぎ、生きていくための教育を施すことです。

子どもはそうした親の懸命な心を感じながら、真摯に学び、感謝する。

そして、その子どもが成長して親になったら、また自分の子どもに同じことをして次世代へ命を繋いでいくのです。

こうした行為は、親と子どもの信頼関係と表裏一体にあります。

なんでもやってあげるとか、親だから管理するとかということではありません。親に命令権や支配権はないのです。

「親」という漢字は、木の上に立って見ると書きます。子どもにはいつも注意は払っているが、子ども自身の自主性を尊重していく。

そういう親が日本で増えれば、希望を感じられるようになるでしょう。

明日死んでもいいように生きる

死と希望について、私の考えを述べます。

「明日死んでもいいように生きる」という言葉は、先住民の話に頻出します。私の死生観はこの言葉に尽きるように考えています。

いつ死んでもいいように準備をしておく。つまり「一日一日を一生懸命に生きる」ということ。それが生の執着からの解放につながります。

そうやって過ごす日々の積み重ねが、結果として長生きに繋がったりもします。

死ぬことを恐れ死に気をつけて、病院通いをすることで早死にする人を、私は毎日のように見ています。

日々を一生懸命に生きるには、自分のやりたいことを見つけることが不可欠です。

しかし人間は「自分がやりたいと思っていること」が、実は「深層心理的にはやりたくないこと」であることが多いのです。

憎んでいた親の仕事を、自分も似たように継いでしまうことなども多くあります。幼少期の仮面の自分に向き合わずして、自分の目的を見つけることは難しいでしょう。

前章でも書きましたが、「アダルトチルドレン」とは、幼少期に家庭内でトラウマを負ったものの、そのことから目を逸らし、よい子の仮面をかぶり続けて大人になった人のこと。そんな自分に振り回されるのではなく、本来の自分を発見しなくてはなりません。

もともと自分がどうやって生まれてきて、どんな特性を持っていたか、それを活かすことが真の意味でやりたいことを見つけることにつながります。

そうやって自分の目的意識を認識し、その認識と目的に向かって進んでいけば、必然的に日々を一生懸命に生きることになります。

そして、日々を一生懸命に生きる姿をあなたの周囲が見ていれば、困ったときにも助けてくれる人が現れるものです。

困ったときに助けてくれる人ほど、信用できる人です。自分が上り調子のときに寄って来る人は信用できません。

一人でも自分を助けてくれる人を見つけたとき、あなたのなかには必ず希望が感じられます。自分の行動が起点となり、それが結果となって困ったときに助けてくれる人が出現したのです。

これは逃げの希望ではなく、好転的な希望です。

親がそんな生き方をしていれば、子どもは親の背中を見て、自分も親のように成長したいと思います。子どもから少しは尊敬されるようになるでしょう。

この考えは「今、この瞬間を生きる」という仏陀の教えに近いといえます。

「今、この瞬間を生きる」とは、人生は一度切りで死んだら終わりなのだという覚悟です。

私は輪廻転生の否定派です。生まれ変わりに希望を持つのは、今の人生に絶望している現れでしょう。努力してこの人生を変えていこうという意欲もなく、現実逃避もいいところだと思います。

輪廻転生とは文字通り何度も、何度も生まれ変わるということ。その繰り返しのループから抜け出せません。

手塚治虫の漫画『火の鳥　異形編』は、何度生まれ変わっても自分自身に殺されるという恐ろしいストーリーです。因果応報という観念から、このループに終わりはありません。

人生が一回限りだからこそ、人は今を一生懸命生きようと考えるのではないでしょうか。

私は自然崇拝的な考えを手本にしているので、死んだら無に戻ると考えるほうが希望を持てるのです。

私の教えている精神構造分析では、フラクタル理論に注目します。

自然界の営みはいつも相似形であり、それは細胞や原子に至るまで、逆に銀河から大宇宙に至るまですべてを含みます。すべては相似形のように同じ形で形成されているのです。

地球は人体であり、私たち人間はその細胞であると見立てる「ガイア理論」という理論もあります。

これをフラクタル理論と組み合わせて考えてみると、川は血管に当たり、地表は皮膚に当たるでしょう。

だとしたら、細胞である人間が死んだら大地に還り、地球と一体になると考えられます。もと来た場所に還ることは、至って自然と考えます。

自然の摂理では、木は朽ち果てて土となって養分となり、それを吸った新たな別の生命体がそこから発生します。

人間では肉体の死と共に、自分という個も消滅します。その後一つの大きな根源のなかに自分の霊魂はバラバラになって情報として残り、その情報がまた新しい別の個体の生命体に部分的にコピーされて生まれる。

こう考えたほうが、人類を支配してきたクソ宗教家たちが熱弁している輪廻転生を信じるよりも、私にはよほど納得できます。

この考えは人生は一度切りで、日々を精一杯生きるというところへ戻ります。毎日を精一杯生きた結果が次世代に繋がっていく、そう考えたときに希望は生まれると思うのです。

「双翼思想」という政治思想

この世の具体的な絶望はどこから来ているのでしょうか。

社会のシステムを作っている大本、その基本は政治にあります。政治こそが今ある絶望を作っているともいえるのです。

しかしこの国の政治に希望を見つけることなど、果たして可能なのでしょうか。


政治について大事なことが2つあります。

一つ目は政治とはそもそもなんなのかという定義を、みな忘れていること。

人類の歴史では、政治の種類は「王政政治」と「民主政治」の2つです。

民主政治の大前提は多数派で決めるということ。これは独裁者である王様が好き勝手にできる王政システムに対して、庶民が「ふざけるな」と拳を振り上げたところから始まりました。

独裁者への歯止めとして、みなで決めたほうがまだマシという考えです。

王様がマシだと少しはマシな世の中になります。しかし古今東西の歴史は、マシな王様などほとんどいないことを伝えています。

少し暴君の傾向があるだけで、王政政治では考えられないほど人が死に、社会の破壊が起こります。

そのアンチテーゼから始まったのが民主政治です。民主政治は理想の政治ではなく、最悪を防ぐためにあるシステムに過ぎません。

それにもかかわらず多くの保守派や右翼系のネット民は、「日本は恵まれていて日本人はすばらしい民族だ。天皇はすばらしい王様で、日本を何度も救ってきた」などとお花畑満開なことをいっています。

そもそも天皇が介在した戦争があったことや、支配や奴隷システム、所有システムがだれのためにあったのかさえ忘れてしまったようなのです。

そのような人々が民主政治を理解できないのは当たり前かもしれません。まあアメリカ型民主主義の押し付けを嫌って、保守思想に走っている人も少なくないでしょうが……。

今の日本の民主政治では、最悪ですら排除できません。だとしたら今の民主政治が健全化されても、できることは最悪の排除くらいです。現状でできることは、そもそも理想の国家を作ることではないと認識する必要があります。

今は民主政治の悪いところである衆愚政治と無関心政治が蔓延しています。民主主義の名を利用して、一部の特権階級が好き勝手やっていますが、国民一人ひとりの生存や最低限の自由を担保するためにこそ、民主主義は活用される必要があります。

それが形や数字となって現れたら、希望だという発想を持てるでしょうが、おそらく無理でしょう。

そしてもし、あなたが理想の国家を作りたいと願うのならば、政治家になる以前に、民主主義でも、王政主義でもない、新しい政治システムを模索するべきなのです。

政治について大事なことの二つ目は、現状の政治思想やシステムは、実は支配者が作ったものであり、枠組に過ぎないという視点で考えることです。

世界も日本も政治思想は、右翼か左翼か、保守か革新か、資本主義か共産主義かに分けられます。

アメリカが共和党と民主党の二大政党制を作ったのは、このわかりやすいシステム化です。そうやって、民衆を右や左の思想のなかに閉じ込めることによって、支配者が民衆をコントロールしやすくなります。

国民が政治に関心を持てば希望になるのかといえば、それも違います。政治に関心を持ったところで、正義を振りかざし、聞こえがよいことをいうヒーローめいた政治家の人気が出るだけでしょう。

そうした政治家が新しく作った政党に肩入れしたのはよいものの、いつしかその政治家が独裁者に変貌します。そんなよどんだ価値観を持ったグループのなかで、独裁者の価値観と少しでもズレたことをいえば、「裏切り者」「工作員」と罵《のの》られ、排除される。そんな人たちを私はたくさん見てきました。

右翼であろうと、左翼であろうと、それは優生思想を持った支配者によって操られている奴隷が持つ思想システムです。新しい政治思想を作らない限り、実は希望などないのです。

右でもなく左でもないといえば真ん中、政治用語では「中道」といわれます。しかし、実際に自らを中道と称する人たちは、風見鶏のように適当で、私からみれば中道でもなんでもありません。

私が新しい政治思想として提唱したいのは、ときに極端に右翼的な思想であり、ときに極端に左翼的な思想であるというものです。

これは本来の人間の姿にもっとも近いものです。先住民や野生動物に限らず、生物は政治的な右や左のルールなんて背負って生まれてきません。

私はこの政治思想の名前を、「双翼思想」とか、「両翼思想」とか、「超翼思想」とか呼んでいます。

仮にこの思想がもう少し浸透したら、「翼」の文字は削除したいと考えています。現在は右翼や左翼といった言葉が浸透し過ぎているので、それを意識してやめる意味を込めて、翼の文字が入っています。

このような右翼でも左翼でもないという新しい政治思想に興味を持つ人が増えたら、そこに希望を多いに感じられるでしょう。

少なくともこの言葉が浸透する段階で、新しい政治思想に強い興味を持った人が増えたことになります。今までの固定観念を打破した人が増えたことにもなるわけです。

先に述べた通り、日本の左翼系政党は在日外国人系団体や、韓国や中国の息がかかっている人ばかりです。そして移民はどんどん増えています。

一口に移民といっても、昭和の前からのしがらみで長く住んでいる人が多いため、単純に追い出せで済む問題ではもちろんありません。私にも在日の知人がおり、その事情はわかっています。

それなのに右翼はとにかく在日を忌み嫌っています。

それに対抗するように、在日のなかには、通名で自分を隠すか、偽りながら日本人のふりをして売国的な二枚舌をやっている人が多くいます。

これはまさに支配者が望む構図です。双方がいがみ合うことで支配者に目が向きません。

一番よいのはすべてをオープンにすることだと私は思っています。つまり通名制度をやめればいいだけです。

これはごまかしの制度としても利用されているのだから、そこに希望などあるはずもありません。

実際在日でも本名を名乗っている人は多くいますが、通名の人ほどには叩かれていると聞きません。

もし通名制度が廃止されれば、日本に同化したいとか、仲良くしたいとかという人はそうするでしょう。

それ以外の人は「日本が嫌いだ」と堂々といえるようになります。二枚舌や詐欺のようなことがなくなり、結果的に両者の闘争は薄れると思っているのです。

つまりレッテル貼りがなくなるほうが差別も減るし、例えば「在日外国人党」と明言して政党を作ったほうが双方ともわかりやすいと考えるのです。

2%の信頼を5%に

私の体感としては、今の日本がおかしいと思い、私の考えに賛同してくれるような人は、人口比率で2%程度だと思っています。

その数字の根拠としては、選挙において「日本がおかしい」「コロナ行政がおかしい」「既存政党がおかしい」と表明する立候補者は、2％前後の得票率を得ていることが多いからです。

もちろん地域によってばらつきはあるのですが、この2％を早いうちに5％に引き上げることが大事だと私は考えています。

私は「市民がつくる政治の会」という政治団体の代表を務めており、政治活動も行っています。

仮にどこかの選挙に私が出たとして、たまたま当選したとしましょう。すると、それを「希望だ！」と言って喜ぶ人もいると思いますが、私は希望とは考えません。

私のような泡沫候補が選挙で当選などしたら、それこそ裏で何かあると勘繰られても仕方がないでしょう。当選を頭から信用すること自体がおかしいのです。

地方選挙で通ったとするならば、獲得投票率は変わっていないわけです。

つまりだれかヒーローが選挙で通ることなどどうでもよく、国民の問題への認識率が上がるほうがよほど重要な要素なのです。

これは実際に海外の活動家に聞いた話です。

ヨーロッパで遺伝子組み換え食品に対して、反対運動のうねりが大きくなったとき、遺伝子組み換え食品の問題点をきちんと認識し、人に説明できるレベルになった人たちは人口比率で10～12%だったそうです。

人口比率でこの程度の数字に達すれば、社会を大きく変革できます。社会を大きく変えるスタートには、実は人口の半分以上の人たちは要らないのです。

EUでは、「GMO（遺伝子組み換え作物）にNO！」という人が10～12%になったとき、一気に社会の変化が進んだとのことでした。結果、遺伝子組み換え食品へのネガティブなイメージがモンサント社の経営にまで悪影響を及ぼし、モンサント社はバイエル社に買収されました。

人口比率2%だと、50人に1人です。例えば、あなたが50～60人の職場に属しているとすれば、あなた1人きりというイメージです。

これが5%になると、20人に1人。あなたに似た問題意識を持つ人が、職場に3人程度はいるという計算です。

10％だと10人に1人ですから、職場に5～6人です。12％だと7人に近くなるわけです。

世の中には、自分の意見を日和見している人が6割程度いるといわれます。

そのうちの半分程度の人は、職場で7人が同じことをいっているとなれば、あとは中身を吟味するだけです。内容に妥当性があれば「私もそう思ってた！」とついてきます。

つまり、10％～12％になったときに、支持が一気に40％へ近くなるのです。

それがEUでは、遺伝子組み換え食品に異議を唱える動きへつながっていったのです。

民主政治は多数決で決められる世界です。

そう考えると、人口の半数を超えなければ日本政府の方針は変えられないと考えてしまいがちです。

この考えには絶望しかありません。

しかし「10％程度でいい」と聞けば、それは希望にならないでしょうか。

今、この本を読んでいるあなたは2％のなかにいます。そんなあなたが、周囲にいる1人か2人を捕まえて、問題意識について説明する。その行動が希望になるのです。

その際に大事なのは、説明しても明らかに無駄な人は相手にしないことです。それよりも社会に疑問を持ったり、日本がおかしいと思っていたりする人を見つけ、話しかけることが重要でしょう。

日本人の大多数を上から目線で変えようとはせず、目標はまず2％から5％の微増が大事なのです。

言葉でなく行動

私のクリニックは、病気を治す場所ではなく、人生をやり直したい人が来る場所です。薬害や医原病に陥っている人の対応をする場所であり、精神療法に主軸を置いています。

私は末期がんの患者に、「別にいーじゃん、早く死ねば」というような医者です。その思想の原点は、先住民や縄文文明の感覚にあることは既に述べました。

それにもかかわらず、これまで1万数千人以上もの薬漬けや難病の面倒な患者を診てきました。

そんなに多くの患者が来るのは、だれしもが今までの生き方、考え方が病気に直結しているので、その根本原因を探ることを求めているからかもしれません。

私はたまたま親が医者で自分もなったクチです。ですが患者に対して、対症療法ではなく、根本療法を施しています。

この療法の発想は、実は人に限らず、法人、社会、国など、何にでも適応できます。

国が抱える社会問題には、一体どういう背景、根本原因があるのか——それを解決しなければ、希望など微塵もありません。対症療法は悪とまでは言いませんが、問題の根本的な解決はできないのです。

医療における対症療法も、国家におけるさまざまな対策も、しょせん焼け石に水です。その石を熱くしている根本原因を取り除かない限り、永遠に水は蒸発するばかりで、ますます混沌に陥ります。

現代の政治家は小手先だけの言葉で民衆を誤魔化し、減税などのおいしそうなエサをばら撒き、一時的にでも所属する政党の人気を演出します。

政治家自体が根本的な原因を理解していないので、次々と新しい政治家が出現しては、海の藻屑のように消え去っていくということがくり返されるのです。

政治システムを構成しているのは、さまざまな法案です。

そのとき、そもそも法律とは何なのかということも考えなければなりません。

原泰久氏の漫画『キングダム』(集英社刊)に、李斯《りし》という法家が出てきます。

法家とは、儒家や道家と並んで中国古代哲学の三大学派の一つとされていて、いわば法律の専門家です。代表的な法家としては、ほかに韓非子《かんぴし》、諸葛亮孔明《しょかつりょうこうめい》などが有名です。

李斯は権力者の側近である昌文君《しょうぶんくん》に「そもそも〝法〟とは何だ?」と問います。

その問いに対し、昌文君は「刑罰をもって人を律し治めるものだ…」と答えます。

これに対し「馬鹿な! 刑罰とは手段であって法の正体ではない! 〝法〟とは願い! 国家がその国民に望む人間の在り方の理想を形にしたものだ!」と言い放ちます。

きれいごとのように聞こえますが、これが法の本質です。作者の原氏はよく法や歴史を勉強していると感心しました。

極論をいえば、生物の社会では暗黙の了解で規律が守られているように、人間の社会でも法律などないほうがいいに決まっています。

先住民の古い時代に法などほとんどなく、世界最古の法といわれる「ハンムラビ法典」にしても、条文など今ほど多くありません。

人間には本来法律など必要ないのですが、現代の社会ではそうも言っていられません。そうだとすれば、どんな法律ならば希望となり得るのでしょうか。

現在の法律は、とにかく支配者からの管理、自由の喪失、刑罰しか前提として考えられておりません。そのため法律を減らすこと、法律を整理してなくすことが希望となると私は思います。

李斯の言う通り刑罰を増やしても意味はなく、法の願い＝思想とはなんだったのかを取り戻すのです。

法家の実務家にして始皇帝を支えた李斯《りし》

最近ネット社会を中心に、誹謗中傷ばかりが取り沙汰される傾向があります。

ただ本当のことを書いているだけなのに、それを名誉毀損だと騒ぎ出す人がおり、そちらの声が優先されるのです。

この流れ自体がまさに支配者の思うツボです。言論統制そのものであり、人が何も言えない社会になります。

訴えるぞと裁判に持ち込めば、儲かるのは弁護士と詐欺をバラされた本人です。

この問題の根本には、ネットの匿名性があると私は考えています。

私は自分のＳＮＳでも好き勝手に書きまくっていますが、それは人の目など気にするものではないという意思表示でもあります。支配者が描く管理社会への抵抗でもあるのです。

国民がみな、私のようにネット上で好き勝手に書きまくれば、名誉毀損だと騒ぎ出す人も少なくなるのではないでしょうか。ネット上の数千万人を訴えることなどは、いくらなんでもできないでしょうから。

そんな市井の人が1人でも増えれば、社会に対しての希望となります。

つまり1人ひとりがもっと自分に正直になり、奴隷根性や脅しの枠から抜け出せたのなら、希望になるでしょう。

まあ、やっぱり無理かもしれませんが……。

社会にも精神構造分析を適合させなければ希望は見えてきません。

アダルトチルドレンの仮面を被った無数のいい子ちゃんが、人のため、正義心、忖度という精神構造を持ち、日々、他者とのマウントの取り合いに励んでいます。それが、ストレス溜める原因となり、日本社会を崩壊させています。

自分に自信があればだれかに中傷されたとしても、堂々としていられるはずです。

私の視点からは、今の日本人は「放っておく」こともできなくなったのだなと見えます。いわれのない中傷など放っておけばよいのです。

自分が絶対に正しいという正義感や、固定された価値観に凝り固まっているうちは何も始まりません。

ネット民を中心に支配者の思惑通り、小さい自分の正義心にばかり執着しているようです。

私は患者の言葉を信用しませんが、これは精神構造分析の手法に由来します。言葉はいくらでも嘘をつきます。きれいごとを並べ立て、自分でもウソをついていることに気づかない人は多いものです。

大事なのは深層心理で、それは言葉でなく行動や結果にこそ反映されます。ですから結果である病気を見て、深層心理の謎を解いていくのです。

きれいごとをどれだけ吐き続けようが、それはただの誤魔化しであり、支配者の奴隷になっているだけなのです。

正直の意味をもう一度、日本人が考えられるようになれば、日本にも少しは希望が出てきます。

きれいごとや忖度、体裁に縛られず、実際の行動をすることで少しでも前に進めば、希望を感じることでしょう。

ヒーローを求めたり、ヒーローに追随したりするのではなく、自らが人脈を作り、経済力をつけ、発信力を持つ。各々が実力をつけていくことが大事なのです。

それさえもせず、ただネットのなかで引きこもっているだけでは希望は感じられません。

自らが政治家を目指したり、子どもの通う学校のＰＴＡの会長になったり、身近なことでなんでもできることはあります。そんな活動を継続していけるかどうかも、希望につながります。

私は日本が滅ぶことを前提で考えて、そのうえで種撒きをしています。

現実に向き合わないで、勝手に社会がよくなるという希望を持つのはただの逃げです。

そうではなく、自分たちが滅びることは受け入れながら、滅びのなかで小さな種が一つでも芽を出せば、将来の捲土重来を果たす可能性が見えてきます。
それこそが、積極的ニヒリズムに通じる希望ではないかと私は思うのです。

おわりに

本書は、「希望」について書かれた本です。この本を書くと決めた時点から、結末は決めていました。

希望とは、究極的にいえば「ただ一生懸命生きること」にすぎないということです。

また、人生や社会、国におけるさまざまな煩悩や執着から解放される、「すべてはどーでもいい」という認識を自分の中に持てるかどうかということも重要になります。

体裁や常識、正義論、真実論ではなく、真の意味で自然に生きることができれば、あらゆる物事は必然的に希望に見えてくるのではないでしょうか。

本書の上梓は、２０２４年5月です。

その少し後に、日本社会すべての先行きを決定する選挙が行われます。7月の東京都知事選挙と、25年11月に予定される衆議院選挙がそれに当たるでしょう。

私は、これまでに社会活動を約16年間やってきて、政治についても提言してきました。これまでは日本崩壊についてまだ時間の猶予がありましたが、24年5月の現在では、そんな猶予はもうありません。このままいけば、東京であれ、日本であれ、徹底的に海外へ売り払われ、ウイグルやチベットよりも悲惨な国となってしまうことでしょう。

拙著『2025年日本はなくなる』にある言葉を借りれば、映画『スター・ウォーズ』のダース・ヴェイダーの側である銀河帝国の時代がやって来るのです。

映画のなかで、銀河帝国は20年近くにわたって続きました。エピソード4の副題である「New Hope（邦題：新たなる希望）」は、将来の戦士であるルーク・スカイウォーカーを指し、エピソード6では銀河帝国が打ち倒されました。

エピソード6の副題は、「Return of the Jedi（邦題：ジェダイの帰還）」で民主国家が復活することになります。

このエピソード4から6へかけての流れを、今、日本は必要としているのです。

新たなる希望とは、あなたやあなたの子どもです。『スター・ウォーズ』同様、このままでは最低20年間は、不遇の時代が続くかもしれません。

しかし、ジェダイの帰還、つまり強い意志と雌伏、さまざまな作戦こそがその復活を導いたように、日本の復活を導くのです。

陰謀論者はSNSを徘徊し、陰謀論を唱えては、「真実だ」「正義だ」と言い張ります。匿名でSNSに何かを書けば、社会は救われ、日本は生まれ変わるという妄想を抱いているようです。

YouTubeを見て、それが真実だと思い込み、その意見を人に押し付けることしか頭にありません。残念ながら、ネットには真実も正義もないのです。

SNSやYouTubeの内容が、万が一、世の裏側を示している情報であったとしても、だれもそれを真に受け取ることはないでしょう。情報の中身などはどうでもよく、言っているその人が信用できないからです。

最終章にも重なるかもしれませんが、これはとてつもなく絶望的な状態です。

ネットで偽情報が横行していること自体が絶望的なうえ、その情報を希望だと勘違いしている人が多いということが二重に絶望的なのです。

そんな匿名の人が流す情報から脱却し、リアルな世界に目を向けてください。

どこのだれかがはっきりしている人々の実名の口コミや、現実世界の信頼関係から情報を共有することに希望はあります。

ネットが悪なのではなく、ネットの使い方を間違えている人が多過ぎます。その象徴たる陰謀論者は、もはや支配者にとって都合のいい、泳がしておくための工作員となっています。

世界に陰謀論が数多く揃っているほうが、支配者や権力者にとっては都合がよく、自分たちがさらに強くなることを知っています。


「裏切りを悪徳とみなす」「筋を通す」「ウソやごまかしを働かない」――これら、かつて日本人が持っていた美徳は、今の社会から消え去りました。

これらの現象も、主にネットの影響です。詐欺師にとって非常に有利な状況となり、巧妙な話術やネット工作、風潮作りで詐欺を隠せるようになったのです。

その一端が、本文中にもあったきれい事、言霊、お花畑スピ、博愛主義者の部類です。日本人の多くが、これらに傾倒している以上、日本の復活がないのも当然です。

右翼も、左翼も、もはやダメなのだと思わない限り、日本復活はありません。しかし、私が本書で主張する「双翼主義」(「超翼主義」「両翼主義」とも)は、日本ではなかなか通用しないと感じています。

とにかく、現状では右翼はすべての右翼思想に染まり、左翼はすべての左翼思想に染まらないといけません。本来、人間には右翼も左翼もなく、生物学としての本質、人間としての本質から考えるのが基本のはずです。

それに従えば、各個人の違いはあれど、ときに右翼的になり、ときに左翼的になるはずです。これをそうさせないようにした者こそが支配者であり、権力者です。

貧民であり、奴隷である国民たちが、どちらかを選ぶしかないと思わせることができれば、支配者の支配システムは確立します。その右翼と左翼を両方操ることが、支配者の基本戦略だからです。

あなたは、政治に関心を持つことができるでしょうか。

右翼や左翼の枠から逃れ、自己の思想を解放することができるでしょうか。

私たちの希望を考えるとき、政治から逃げることはできません。日本人に政治から関心を逸らすこと、政党の選択肢を狭めることこそ、そもそもアメリカの戦後戦略でした。政治の真実を語るのであれば、この思想の固定化と誘導こそを語るべきです。

もしそのような人々が増加したら、私にとってはこのうえない希望です。しかし、それが増えることなく、通用しないと感じている私もまた、絶望に浸っているのだと思います。

それが、私の虚無主義的な思想に繋がっているのです。

私は、24年以降、自分の世捨て人度数が上がると思っています。

これからの世をサバイバルするための、私自身や、私の周囲に人を助けるための具体的な準備を始めないといけません。

時間の経過とともに、日本の現実から目を背ける人々を、助けることはできなくなるでしょう。もし日本が破滅する土壇場で目覚めた人がいたとしても、もう私から手を差し伸べて助けることはできません。茹でガエルをカエルに戻すことはできないのです。

今後は私の周囲にいる人を助けるだけで手一杯であり、そのときは私自身が優生学的な思想を持って日本を観察することになります。私自身、正義漢面する気はまったくないのです。

特に24年7月7日が終わると、私のこの考えは加速するでしょう。

今後、あなたがどんな生き方を模索するかは、私にはわかりません。私と同じ希望を持つ必要などありませんが、少なくともこれまでに挙げてきた承認欲求的な精神、正義精神、真実精神、お花畑精神、見せかけのきれいごと精神におぼれている限り、そこに希望は微塵《みじん》もないでしょう。

本書を手に取った以上は、あなたも何かしらの希望を見出したいと願っているのではないでしょうか。

日本は今後、銀河帝国のようになっていきます。そのとき、どのような考えを持ち、あなたはこの国で生きていくのか。

そう考えたとき、この本が少しでもあなたの指標になれば幸いとして、本書のまとめとさせていただきます。

内海　聡

内海 聡（うつみ・さとる）

1974年、兵庫県生まれ。筑波大学医学専門学群卒業後、内科医として東京女子医科大学附属東洋医学研究所、東京警察病院などに勤務。牛久愛和総合病院内科・漢方科勤務を経て、牛久東洋医学クリニックを開業。その後、同クリニックを閉院し、断薬を主軸としたTokyo DD Clinic 院長、NPO法人薬害研究センター理事長を務める。Xのフォロワーは18万人以上。医学以外にも、食や原発、環境、教育、福祉、哲学などさまざまなジャンルについて自分の考え方を発信する。政治団体「市民がつくる政治の会」代表。2022年には自身のドキュメンタリー映画『内なる海を見つめて』も公開された。

主な著書に、『2025年日本はなくなる』（廣済堂出版）、『医師が教える新型コロナワクチンの正体』『心の絶対法則 なぜ「思考」が病気をつくり出すのか?』(ユサブル)、『精神科は今日も、やりたい放題』(PHP文庫)などがある。

希望
消滅する日本で君はどう生きるか

第1版　2024年5月31日
第2版　2024年6月15日

著　者　　内海 聡
発行者　　小宮英行
発行所　　株式会社徳間書店
〒141-8202
東京都品川区上大崎3-1-1
目黒セントラルスクエア
電話　編集（03）5403-4344
販売（049）293-5521
振替　00140-0-44392

印刷・製本　株式会社広済堂ネクスト

ISBN 978-4-19-865832-8